言語の類型的特徴対照研究会論集

言語の類型的特徴対照研究会（編）

第 4 号

日中言語文化出版社

目　次
CONTENTS

特集論文「情報構造」
Special Issue "Information structure"

東南アジア諸言語の情報構造

Information structure of languages in Southeast Asia

峰岸　真琴（東京外国語大学）

Makoto MINEGISHI (Tokyo University of Foreign Studies)

要　旨

　本稿は，東南アジア諸言語の情報化の類型研究のうち，主に大陸部の諸言語の統語レベルの「転位」に関して，左方転位による「主題化」および右方転位による「焦点化」の共同研究の概要を述べる。さらに，統語的な転位が情報構造上の「主題化」あるいは「焦点化」の機能を担うことに，どのような認識上の動機付けが考えられるかについて，「普通」に対する「逸脱」という認識上の対立の観点から考察を試みる。この認識の観点から見れば，文中の語句の左方あるいは右方への統語的「転位」とは，2 カ所以上のどこか 1 カ所に出現可能な語句が，あたかも本来の基本的語順，つまり「普通」の位置から「逸脱」した位置へと移動したかのように認識されることである。本稿では統語レベルに限らず文音調のレベルにおいても「普通」対「逸脱」の対立が，対象固有の属性ではなく，相対的な関係概念であること，それゆえ別の対立の観点から見ると，「逸脱」項もまた「普通」項と見なされうることを論じる。

キーワード：東南アジア，情報構造，転位，焦点化，主題化

1　東南アジア諸言語の情報構造研究について[1]

1.1　言語地域としての東南アジア

　表 1 に東南アジア地域の主要な言語を示す。言語系統の点では，オースト

---

[1] 本研究は，科研費基盤研究 (B)「形態統語論と音声学からみた東南アジア諸語における情報構造の類型論」（課題番号：JP17H02331，2017-2020 年度実施）の助成を受けたものである。

ロアジア語族，タイ・カダイ語族，シナ・チベット語族，オーストロネシア語族と，さまざまな系統の言語が分布する。

表1：東南アジアの主要言語

言語名	語族	語順	声調
ベトナム語	オーストロアジア語族	SVO	あり
クメール語	オーストロアジア語族	SVO	なし
タイ語	タイ・カダイ語族	SVO	あり
ラオ語	タイ・カダイ語族	SVO	あり
ビルマ語	シナ・チベット語族	SOV	あり
マレーシア語	オーストロネシア語族	SVO	なし
インドネシア語	オーストロネシア語族	SVO	なし
タガログ語	オーストロネシア語族	VSO	なし

　表1に見られるように，これらの言語は基本語順や声調の有無などの類型特徴について異なりを見せる。これら公用語の他，モン・ミエン語族の言語をはじめ，多様な少数民族が分布していることが，東南アジアの特徴である。

1.2　情報構造研究の組織化

　情報構造の言語類型論的考察を行うためには，声調，音節構造などの音韻面および形態統語の両面において多様性を持つ東南アジアは最適な地域である。そこで東京外国語大学の東南アジア専攻の研究者を中心として，学外の実験音声学研究グループを加えることで，2016年に情報構造についての研究を組織することになった。研究の企画は，長屋尚典氏（企画当時，東外大所属）の提案によるものである。

　2017年度に，科研費「形態統語論と音声学からみた東南アジア諸語における情報構造の類型論」が採択された。同科研の組織（以下，敬称略）は，研究代表者の峰岸（タイ語担当）の他，東外大の東南アジア諸言語の研究者（上田広美：クメール語，岡野賢二：ビルマ語，鈴木玲子：ラオ語，降幡正志：インドネシア語）に加えて，長屋尚典（東外大から東京大：タガログ語），高橋康徳（神戸大：音声学），ホワンヒョンギョン（国立国語研究所から筑波大：音声学）を分担者に加えたものである。

情報構造の研究には，音声・音韻レベルでの強勢，文音調だけでなく，「取り立て」の助詞・副詞などの言語形式の意味・用法，本稿で扱う語句の転位 (dislocation) による主題化，焦点化など，さまざまなトピックがある。研究の企画当初は，形態統語論的側面と音声学的側面の両面から研究することを考えたが，既に声調やイントネーションに関する音声研究が別途進行していることもあって，大陸部諸言語では形態統語論の研究を中心とし，島嶼部のインドネシア語，タガログ語については形態統語面に加えて実験音声学的な研究を行うことにした。また学内の言語研究者の配置や，既に進行中の他の共同研究との兼ね合いもあり，表1に挙げた言語のうち，ベトナム語とマレーシア語は研究対象に入れることが出来なかった。

　同科研の研究グループは，これまでのそれぞれの研究の関心と進展の段階によって，形態統語，談話，音声などのさまざまな分野での研究を進めてきている。研究に充てられる時間と経費が限られていることもあり，これまでの各自の研究実施内容と無関係に共通の研究を行うことは得策ではない。そこで，研究者の個々の自主的な研究内容・手法（現地調査，コーパス収集，実験音声学）での研究を進めつつ，さらに大陸部を中心とした言語の共通テーマとして，統語レベルの「転位」現象を中心に取り上げることにした。

1.3　「転位」に関する共通調査表の作成

　以下では共通の調査表を用いての研究について，その狙いと結果について紹介する。情報構造に関する調査表としては，Skopeteas et al. (2006) があるが，内容が多岐にわたる総合的なもので，研究期間も人的リソースも限られた研究に用いるには，実際的ではない。

　そこで共通の調査表として，統語レベルでの「転位」に関する調査表を作成した。同調査表は，「普通」からの「逸脱」(deviation) としての転位に関する考察に加え，研究の基本的な前提となる基本語順（一項述語文，二項述語文，やりもらい三項文に，この地域のタイ語，ラオ語，クメール語に共通する動詞連続構文など）の確認，およびこれら「基本」の語順からの統語上の「逸脱」について，日本語の例文とタイ語の例文を挙げたものに，参考文献の一部の内容紹介を加えたものである。このうち例文は峰岸 (2019a) で使わ

れているので，具体的な調査内容については同稿を参照されたい。

　ここで「転位」についての事実の記述と，それに対する我々の認識のあり方について述べておく。本研究でいう「転位」に関して客観的に観察できる現実の言語現象は，特定の統語上の要素が 2 箇所あるいはそれ以上の位置のどれか 1 箇所に出現可能であるということである。これを一方から他方に「転位」したかのように捉えるのは，我々の認識のあり方の問題である。しかし，事実の客観性を重視して，いちいち「統語上 2 箇所（以上）の位置に現れる場合のうち，前方に現れる方」などと呼ぶことは，回りくどいばかりで非現実的であるため，便宜的に「普通」の位置に対する「転位」と呼ぶのである。「転位」だけでなく，「主題化」や「焦点化」という呼び方も，同様の認識のあり方に関わる表現である。

　「転位」はまた，かつての生成文法の「移動」(movement) のような，基底構造から表層構造を生成する際の統語的操作を意味するものでもない。一般に特定の統語分析に基づく理論的解釈を背景とした用語は，現象の記述を中心とした研究では，できる限り使用を避けるべきであろう。

1.4　調査項目と調査結果

　共通の調査表のたたき台となったタイ語の情報構造の概要を紹介する。タイ語に限らず，大陸部の言語については，主題化，焦点化，数量詞遊離（数詞＋類別詞などの数量表現の遊離）などが，主な考察の対象となる。

　タイ語は「主語＋動詞＋目的語」を基本語順とする。この基本語順からの逸脱として，名詞句を文頭に移動する「左方転位」と，文末に移動する「右方転位」との 2 種の移動がある。

　左方転位によって文頭に移動した句は，対比的な主題として機能する。タイ語で主題化できるのは，主語，直接目的語，間接目的語が主なものだが，これとは別に，時空間などの場面の設定に関わる副詞句の出現の位置については，その可否に関して意味的な制約がある。

　右方転位によって文末に後置された句は情報構造上の「焦点」として機能する。疑問詞や目的語は焦点化されやすいが，転位には統語構造上の制約もある。詳細については，峰岸 (2019a) を参照されたい。この他，個別のトピ

ックに関する後接として，主題化については峰岸・ウィッタヤーパンヤーノン (2019) が，数量表現の焦点化については峰岸 (2019b) が，「とりたて」（焦点化，非焦点化）などの語形態の分析については，峰岸 (2019c) がある。

　共通の調査表を用いての分析結果については，言語の類型的特徴対照研究会，第 13 回研究発表会（2020 年 8 月）での発表を踏まえ，2020 年『東京外大東南アジア学』26 号に掲載されている。それぞれの言語の具体的な分析については，参考文献に掲げたそれぞれの論文をご参照いただきたい。これらの研究によって，この地域の主題化（対比）と焦点化に関する統語的特徴の類似点と相違点の詳細が明らかになった。調査表がタイ語の研究を基に中心に作成されたものであるため，SVO 語順で統語上の共通点の多いラオ語やクメール語の場合は，間接目的語の主題化の可否や，2.3 節で考察する時間の副詞の位置の分析など，類似点と相違点の詳細が明らかになったことが成果として挙げられる。反面，SOV 語順のビルマ語や，イントネーションが問題となるインドネシア語の分析には，同調査表による調査はやりにくいものとなると予想されたが，調査表の束縛から離れ，それぞれの対象言語の観点からの考察を深め，独自の研究を展開することが期待された。結果として，インドネシア語についてはイントネーションの音響音声学研究および不変化小詞や接辞などについての分析となっている。

2　「普通」と「逸脱」に関する認識論的考察

　転位した語句に「主題化」あるいは「焦点化」の意味機能が付与されることは，東南アジアの諸言語に限らず，日本語を含めた多くの言語に認められる事実である。このような個別言語の特徴を超えた普遍性は，「普通」と「逸脱」の対立に関する我々の認識のあり方に起因するものと考えられよう。

　ある要素が出現可能な 2 つの位置のうちの一方を「普通」の位置と見なし，他方を「逸脱」した位置と見なして対立的に認識することには，その前提に何を普通であり，何を逸脱であると感じるかという価値判断が存在する。この価値判断は，言語の形態統語レベルだけでなく，音韻レベル，さらには言語を超えた世界に関する意味づけにまで関わるものである。以下では「普通」と「逸脱」という対立的な認識が，どのような根拠の上に成り立つのかを考

察する。

2.1　数量表現の遊離：句の位置の「逸脱」による「焦点化」の例

　「普通」と「逸脱」を考える具体的な例として，日本語の数量表現（数詞＋助数詞）の「遊離」の場合を考えてみよう。

　「私は3冊の本を買った」と「私は本を3冊買った」との2つの文について，「3冊（の）」は，前者では名詞を修飾する句として名詞の直前に，後者では副詞句として動詞の近傍（直前）に出現している。ここまでが現象として記述すべき「事実」である。（もちろん「句」とか「修飾」という概念も，単なる共起関係以上の形態統語論的「解釈」を含む点で，純粋な事実の記述とは言えないが，ここでは考慮しない。純粋な記述を突き詰めてゆくと，語形態に変化のない孤立語では「名詞」や「動詞」といった品詞にさえ言及できなくなることに注意されたい。）

　この二つの文は，前者の名詞句内の位置を普通（本来）の出現位置と見なし，後者の副詞句としての位置を，数量表現が転位し，「遊離」した位置であるように解釈されている。それでは，名詞句の一部としての位置が「本来の位置」であり，「動詞直前の位置」が「逸脱した位置」であると認識する客観的根拠はあるだろうか？

　まず，出現頻度について考えてみよう。「普通」というのは「逸脱」に対する「一般的」という意味であろうが，これは同義語による言いかえに過ぎない。しかし，仮になんらかの数量化が可能な場合，例えば当該言語の文体，ジャンルなど，あらゆる多様性を反映した均衡コーパスにおける出現頻度を比べた場合には，一般的な位置での出現頻度が，「逸脱」の位置での出現頻度数よりも高いことが期待されよう。ただし「均衡コーパス」という概念は理想的なもので，あらゆる多様性に関してバランスのとれたコーパスというのは存在しないし，また実現不可能であろう。

　一方，特定の文学作品のコーパスの場合，例えば「11ぴきのねこ」の物語のコーパスでは，特定の「11ぴきのねこ」の集合に言及することが多いだろうから，均衡コーパスよりも名詞句修飾用法の出現頻度が高い可能性がある。さらに計量単位への言及が多い料理本のコーパスでは，「砂糖を大さ

じ 3 杯入れる」のような副詞的用法の出現頻度が高いかもしれない。

　次に，我々の認識のあり方について考えてみよう。我々は何を「普通」であり，何を「逸脱」であると認識するのだろうか。「普通」とか，「一般的，典型的」といわれる対象の特徴づけが難しいことは，「典型的な犬」や「典型的な日本人」とは何かを考えることが難しいことからも，すぐに理解できる。これらは，明確に「逸脱，例外的」と定義できるような特定の対立概念を持たないからである。一方，我々が「逸脱」を感じるのは，ある特定の顕著な特徴に我々の注意が惹きつけられる場合である。

　日本語の数量表現の位置の例をみると，名詞を修飾する位置では，「11 ぴきのねこ」，「七人の侍」のように，名詞句が対象の特定された指示対象を持つ場合もあるし，「一億二千万人の日本人」のように，名詞の指示対象全体を指す場合もある。名詞修飾の位置にある場合に生ずるこの曖昧性のため，「3 冊の本を買った」では，同一の本を 3 冊買ったのか，別々の本を合計 3 冊買ったのか，あるいは 3 冊が上・中・下で特定の 1 セットなのかは「無指定」であり，文脈から判断するしかない。一方，副詞的用法の「本を 3 冊買った」の場合，どんな本の集合であろうと，買った数量だけが問題である。

　「コーヒーを 3 杯飲んだ」の場合も，コーヒーを飲んだ合計の数量だけが焦点化されている。このことから，数量表現の位置に関しては，名詞の修飾位置に現れるのが，その意味の曖昧性・多義性ゆえに「普通」あるいは「一般的」であり，副詞的用法は，数量のみという特殊な意味を持つ場合に限られている点で，「逸脱」していると認識されるのだと考えられよう。

2.2　主語と主題について

　曖昧あるいは多様な意味を持ちうる無標項は「普通」あるいは「一般的」であるのに対し，特定の意味だけを持つものは，その顕著な意味機能によって有標項となり，「逸脱」していると認識される。この「普通」と「逸脱」に関する一般化は，主語と主題についても適用可能である。

　基本語順（つまり「普通の，一般的な」語順）が SOV である日本語であっても，SVO である英語であっても，文頭の語句は，一般に主語と主題との両方の機能を持っている。主語は文内の統語的機能に，主題は先行する文

脈による談話的機能に関与している。日本語の場合は，副助詞「は」が「主題」と「対比」の両方を意味する，さらには「が」の機能を兼務するなどと言われることもあるが，もちろん主題の「は」，対比の「は」が別々に存在するわけではなく，前後の文脈から意味づけられているのである。「は」で示される語句が持つこの多義性は，日本語の主語・主題にとって，文頭の位置が「普通」に占めるべき位置であることを示している。

2.3 東南アジア大陸部諸言語の「主題」および「主題化」について

　以下では文頭あるいは文末に現れる「時間の副詞」，および必須項である主語，目的語を示す主題の持つ意味について考察する。クメール語のコーパスのデータ分析に基づいて，上田(2011)，上田(2020)は，時間を表す副詞句は文頭に現れ主題となることが多く，目的語の後ろにある場合には、その動作を行った時間が新情報となると述べている。ラオ語について鈴木(2020)は，(a) 主題は原則として文頭に置くこと，(b) 主題には①左方転位で話題を明示する主題と，②「いつ」あるいは「どこ」という叙述内容の場面設定を明示する主題の 2 種類があり，① は旧情報であり，② はその限りでないと述べている。ビルマ語について岡野(2020)は，時や場所の句は一般に主語に先行することが多いと述べている[2]。

　これら文頭の主題に関する分析結果の共通性について，以下に私見を述べておきたい。

　第一に，「本来の主題」と「主題化」との区別についてである。本稿では，文頭を本来の無標の位置とする主語名詞句（必須項）あるいは副詞（付加詞）を「本来の主題」と呼ぶことにする。これに対して「主題化」は，動詞句近傍の位置からの「逸脱」により，文頭へと転位した項についての名称である。

　時間，空間を示す語句は，本来の主題として文頭に現れ，いわゆる「場面設定子」(scene setter) として機能する。これが鈴木(2020)のいう ② の時間あるいは空間を表す語句（副詞あるいは付加詞）である。出来事の叙述におい

---

[2] 島嶼部のインドネシア語についても，降幡(2020)は時間の付加詞「昨日」が「焦点化された主題」として文頭に置かれる場合と「焦点化されない主題」として文末に置かれる場合を挙げている。

ては，時空間を表す語句が主題として文頭に現れて「背景としての場面」を明示して，そこでそのとき起きた出来事を述べるのは，東南アジアに限らず，日本語を含む多くの言語に広く見られる現象である。

　同様に主語名詞句は「本来の主題」として文頭に現れ，「叙述の中心として前景化された客体」を示す機能を持つ。

　この背景場面あるいは前景化された客体を表す「本来の主題」は，それらが談話やテキストにおいて先行文脈から継承され，容易に同定できる場合には，明言化されないのが普通［無標］である（タイ語の主題の現れ方と継承（省略）については，峰岸・ウィッタヤーパンヤーノン [2019] を参照）。この「省略」は，東南アジア諸言語や日本語などの「Pro-drop 言語」では一般的である。

　一方，明示化された主題＝主語名詞句は，わざわざ明示されたという「逸脱」によって有標化され，先行文脈から継承された主題との「断絶」を明示することによって「対比」の機能を持つ。以上が「本来の主題」の持ちうる場面設定，主題・主語設定，対比の3つの機能である。

　これに対して，鈴木 (2020) のいう ① の「左方転位による話題の明示」は，基本語順では動詞近傍にある目的語が，文頭の「逸脱」の位置に転位して「主題化」(topicalization) されたものと考えられる。目的語は，この主題化という逸脱により，「明示化という逸脱」を示す場合の主題・主語名詞と同様に，「対比」の意味機能を付与される。

　第二に，時間を表す句が動詞の後ろの副詞句の位置に出現する場合をどう考えるべきかである。

　時間を表す句が副詞句の位置に現れる場合，「その動作を行った時間が新情報」（上田 [2020: 86]）であることを意味するのは，クメール語に限らず，ラオ語，タイ語に共通する機能である[3]。これはむしろ時間を表す句に限らず，副詞句一般が動詞句に後続する場合に持つ修飾機能である。

　文頭位置に現れる「本来の主題」としては，時を表す語句は場面設定，対

---

[3] インドネシア語の場合も，降幡 (2020: 103) を見る限り類似の機能を持つと考えられる。

比の意味機能を担うが，副詞句の位置に現れる場合は，「その動作の行われた時間」という意味だけが「焦点化」される。

2.1 節で見た数量表現の場合と比較すると，数量表現は，名詞修飾の位置と，副詞句としての位置の2カ所に出現しうるが，二つの位置における意味は，前者は多義的であるのに対し，後者は「数量」という意味に特化して「焦点化」されている。同様に，「本来の主題」の位置に現れる時間を表す句は，「場面設定」あるいは「対比」という両義性を持ちうるが，文末位置に近い場合は「出来事の生じた時間」という意味に特化して「焦点化」されている。

数量表現と時間を表す句は，共に2つの位置のどちらかに現れうるという共通性を持ち，副詞の意味に特定化された場合に，他方の「普通」からの「逸脱」と見なされ，その意味が「焦点化」されていると認識される。ただし「焦点化」された対象は，数量表現の場合は「逸脱による転位」と見なしうるのに対し，時間を表す句の場合は本来の副詞句の位置に存在しているに過ぎず，「転位」とは見なせないという違いがある。このことから，特定化した意味を持つ句が焦点化されたと認識されることと，「転位」の有無という統語上の位置づけの違いとは無関係だと考えられる。

2.4 節でみるように，意味の特化は二つの位置の違いを，「普通」対「逸脱」の対比的な認識と捉えることによって生じた「位置のもつ意味」がパターン化されたものと考えられよう。

2.4　語順規則からの「逸脱」としての「強調」

「基本語順からの逸脱」としての焦点化と主題化は，定型的なパターンとして既に文法規則の一部に組み込まれている。つまり焦点化と主題化は，もはや逸脱としての顕著な有標性を失い，定型的な語順転位の一種となっている。このように，基本語順と転位語順とがまとめて定型化され，全体として文法規則化した語順は，「転位」という逸脱が本来持っていたはずの顕著な有標性を失ってしまう。

基本語順と転位語順とを対照した場合は，式 (1) のように「無標項」対「有標項」として認識される。

(1)　┌─────────────────────────────────┐
　　　│基本語順［無標］対　転位語順［有標］│
　　　└─────────────────────────────────┘

　OV 言語である日本語の数量表現の転位の例では，数量表現の転位先は動詞述語の直前であり，一般に述語より右方の文末にはならない。これも定型化された日本語の文法規則の一部である。

　一方「本を買ったんだよ。10 冊も！」のような場合は，この定型として許容可能な転位先である述語の前の位置よりも後ろに「10 冊も」が現れている。これは日本語の文法規則を逸脱しているため，母語話者にとっては，イントネーションによって「倒置」と感じられたり，句の間に休止を挟めば「ひとまとまりの文」としての許容範囲を超えた「言い足し」の発話であるように感じられる。

　この「言い足し」は，定型化した語順規則に違反しているため，「文法規則全体」と「言い足し」とは，式 (2) のように，別次元の「無標項」対「有標項」として認識される。

(2)　┌─────────────────────────────────┐
　　　│定型化した語順規則［無標］対　言い足し［有標］│
　　　└─────────────────────────────────┘

式 (1), (2)からわかるように，無標対有標の対立の認識は，それぞれの項の持つ「固有の属性」ではなく，あくまでも対立項をどのように選ぶかという選択によって決まってくる「相対的な関係概念」である。従って「A は B に対して無標」即ち「B は A に対して有標」だが，同時に「A は C に対して有標」という場合もありうる。式 (1), (2) の場合は，「A は B に対して無標」だが，同時に「(A+B) は C に対して無標」である場合である。

　数量表現に限らず，句の倒置効果は，「うまいんだな，これが！」（某ビールの宣伝文句）のような倒置文の持つ「強調」の表現にも感じられる。このような表現が多用され，パターンとして確立すれば，結果として「普通の表現」に，さらには「陳腐な表現」へと化してゆき，最後はソシュールの言う「ラング」に収斂していくこともあろう。

2.5 文音調による「逸脱」と「強調」の表現

「逸脱」さらには「強調」の表現は，統語レベルだけでなく，文音調レベルにも認められる。一般に日本語の平叙文では，文末に下降調が出現する。一方疑問文では，文末に上昇調が出現する。平叙文，疑問文を音響音声学の手法で分析することで，上昇，下降のイントネーションパターンを，時間軸に沿ったピッチの変化として観察・記述することができる。

人間の自然な発声では，ピッチは，いったん上昇してから緩やかに下降する，いわゆる「へ」の字型を描く。平叙文の下降調も，この型に従っている。一方，疑問文では，音節構造や文末の語句のアクセントなどによるピッチパターンの差異は見られるものの，総じて文末におけるピッチの上昇が観察される。

従って，「普通」と「逸脱」という観点から両者のピッチパターンを見ると，出現頻度においても音声の認知においても，式 (3) に示すように，平叙文の下降調が「普通」［無標］であり，疑問文の上昇調が「逸脱」［有標］であると解釈されよう。

(3) 下降調［無標］　対　上昇調［有標］

下降調および上昇調は，それぞれ平叙文と疑問文のイントネーションとして，日本語話者の共同体において社会的に認知されている点で，すでに定型化されたイントネーションである。

さらに高次の対立において，下降，上昇のピッチパターンにも収まらない音声的バリエーションを，定型からの「逸脱」による「強調」効果を持つ表現として，話術，歌唱，朗読，演劇などの修辞技法として用いることも，言語運用上は可能である。

例えば，普通の平叙文に比べ，ピッチの高低の差が大きい，極めて高い声あるいは低い声で話す，発声の音量が特段に大きい，音節それぞれを区切って発音する，母音の長短あるいはアクセントの型を崩して発音する，声質を変える等々，あらゆる「標準」からの「逸脱」がありうるだろう。これらの逸脱は，標準からの顕著な「差異」と感じることができればどんな差異であ

っても良いのであって，一定のパターンに収まる必要はない。式 (4) に示すように，ピッチにせよ持続時間にせよ，ある標準的な分布からの認知上の距離があれば，逸脱と感じられる。逸脱の程度は，標準的な値からの隔たりの正負を問わず，理念的な出現位置（代表値）からの「残差」(residual) の値の大きさと見ることができるだろう。

(4) 定型化された文音調［無標］対　逸脱したピッチなど［有標］

　ここで注意すべきことは，これらのパターン化されていない，従って社会的な型として認識されていない逸脱は，言語を運用する話し手個人の「パロール」の裁量範囲にあり，個性を表現することに繋がる。従って，その「強調」の意味もまた，話し手の意図する演出効果が正確に聞き手に伝わるか，確実性に欠けることになる。このような「強調」の場合のピッチの測定を試みる場合，理念的な代表値と実際の測定値の「残差」は，正負の値にばらつきを見せるため，単純平均値を求めても，一定のピッチパターンを得ることはできない。強調の表現がパターン化されていないこと自体が，上位の次元の顕著な「逸脱」を表現しているからである。

　2.4 節では，定型化した語順の無標性と有標性について，式 (1)「基本語順対 転位語順」を示し，これと対比して，異なる次元の無標性と有標性として，式 (2)「定型化した語順規則 対 言い足し」を示した。2.5 節では，音調の無標性と有標性について，式 (3)「下降調対上昇調」を示し，これと対比して，異なる次元の無標性と有標性として，式 (4)「定型化した文音調 対 逸脱したピッチなど」を示した。前者の式 (1)−(2) と後者の式 (3)−(4) との認識上の対比の次元の違いには，明らかな平行性が認められる。この平行性の存在は，統語レベルと音調レベルという別のレベルにおいて，同じ認識のあり方が反映していることを示している。ただし統語レベルの転位は句を単位とするため，限られたパターンとして定型化されるのに対し，音調レベルの式 (4) の有標項の数には限りがない[4]。従って式 (4) の有標項の表現の効果は個人

---

[4] 近年の日本語口語の「逸脱」句音調の例に，「これって【変じゃない】？」（便宜上

の個性を表現するパロールのレベルでの表現効果にまで及ぶものとなる。

3　おわりに：諸言語の地理的分布と類型特徴

　本稿では，東南アジア諸言語の情報化の類型のうち，主に大陸部の諸言語の統語レベルの「転位」に関して考察を行い，句の本来の出現位置と区別される「主題化」および「焦点化」の概要を述べた。さらに「焦点化」の認識には，多義性・曖昧性と特定性との対立に基づく「普通」と「逸脱」という対立的な認識のあり方が関与していることを論じた。このような判断は，言語の統語レベルに限って行われるものではなく，音韻レベルの文音調や，さらには世界に関する人間の意味づけのあり方に深く関わるものである。

　最後に，東南アジア地域の主要言語の地理的分布と類型特徴について，改めて考えてみよう。

　1.1 節の表 1 にまとめたように，ベトナム語を東南アジア大陸部の東北端とすると，クメール語は東南端に，ラオ語およびタイ語は中央部に，ビルマ語は西端にある。同地域を周囲に凹凸のあるジグソーパズルのそれぞれのピースに例えると，ピースの凹凸部は，隣接地域の言語と地域特徴を共有する，例外的な部分と見なすことができる。

　東北部のベトナム語は，隣接するクメール語とともにオーストロアジア語族の一部であるモン・クメール語族に含まれる。オーストロアジア語族は，東南アジア大陸部からマレー半島部，インド洋のニコバル諸島，インド東北部から東部にかけて分布するが，そのほとんどの言語は声調を持たない。この中で声調を持つベトナム語は例外的存在であり，ピースの凹部にあたる。この凹部にはまる凸部は，ベトナム語の北部に接する少数民族諸言語，さらには漢語南部諸方言である。

　南西部のクメール語は，他のオーストロアジア語族の諸言語と同様，声調

　【　】内の文節の音調を，各モーラの高 (H)，低 (L) で示すと【H LL L*H*】，なお下線付きの *H* は H よりピッチが高いことを表す)に相当する言い回しを「これって【ヘンじゃネ】？」（【LHH*H*】）のように，「変」を下りアクセント型 (HL) から平板型 (LH) に，文末の疑問上昇調を高い平板からさらに高いピッチへと変える奇妙な音調が，おそらくマスコミを通じて若者中心に急速に広まったことが挙げられよう。

を持たない。しかしこの無声調という特徴は，東南アジア大陸部の言語という観点からは例外的であり，ピースの凹部にあたる。この凹部にはまる凸部は，声調を持たない島嶼部のオーストロネシア語族のマレー語で，さらにインドネシア語に繋がっている。

　西部のビルマ語は，SOV を基本語順とし，声調を持つとは言え，声調および母音の数が比較的少ない点で，例外的存在であり，ピースの凹部にあたる。この凹部にはまる凸部は，インド東北部からベンガル湾を挟んでバングラデーシュ，インド東部に分布するベンガル語である。ベンガル語を始めとするインド亞大陸のインド・ヨーロッパ系あるいはドラヴィダ系諸言語の多くは，SOV 語順を持つ。これらインドの言語の多くは日本語と同様の5母音体系を持つが，その東端のベンガル語は例外的に，前舌母音 /e/, /ɛ/ および後舌母音 /o/, /ɔ/ という広狭の音韻対立を持つ点で，ビルマ語に似ていると言うことができる。

　このような観察は，あくまで諸言語の歴史的変遷を捨象した上での見方に過ぎず，またこれら主要言語相互の間には，類型上の変異あるいは遷移を示す数多くの少数民族言語が存在することも考慮していない。このような極めて粗い観察ではあるが，言語地域としての東南アジア大陸部の共通性と多様性を考える上で，共通性に着目すると，タイ語およびラオ語は類型的特徴を多く共有する点で，同地域の典型的な言語であり，また多様性に着目すると，ベトナム語，クメール語，ビルマ語は，同地域と隣接する東アジア，島嶼部東南アジア，南アジアとの部分的な共通性から，例外的な言語であるように見えると言えよう。こうした大きな枠組みの中で，地域の諸言語の類型上の多様性を考えることも，また有益ではないだろうか。

参考文献

Skopeteas, Stavros, Fiedler, Ines, Hellmuth, Samantha, Schwarz, Anne, Stoel, Ruben, Fanselow, Gisbert, Féry, Caroline, and Krifka, Manfred (2006) *Questionnaire on Information Structure (QUIS): Reference manual. Interdisciplinary Studies on Information Structure*. Vol.4 . Universitätsverlag Potsdam, Potsdam, Germany.

上田広美 (2011)「クメール語の時を表す語句の位置」『コーパスに基づく言語学教育研究報告 7 』 pp..245-258. 東京外国語大学大学院総合国際学研究院グローバル COE プログラム「コーパスに基づく言語学教育研究拠点」.

上田広美 (2020)「クメール語の情報構造」『東京外大東南アジア学』No.26, pp.84-96.

岡野賢二 (2020)「現代口語ビルマ語の情報構造について—左方移動・右方移動を中心に—」『東京外大東南アジア学』No.26, pp.24-42.

鈴木玲子 (2020)「ラオ語の語順と情報構造」『東京外大東南アジア学』No.26, pp.43-75.

降幡正志 (2020)「インドネシア語の情報構造に関するいくつかの事象」『東京外大東南アジア学』No.26, p.97-117.

峰岸真琴 (2019a)「タイ語の情報構造に関わる諸表現」『慶應義塾大学言語文化研究所紀要』第 50 号, pp.189~204.

峰岸真琴 (2019b)「タイ語の数量表現」,『言語の類型的特徴対照研究会論集』第 1 号. pp.115-132. 日中言語文化研究社. 2019.1.31.

峰岸真琴 (2019c)「タイ語のとりたて」野田尚史編『日本語と世界の言語のとりたて表現』, pp.129-144, くろしお出版.

峰岸真琴・スニサーウィッタヤーパンヤーノン (2019)「タイ語の主題とその談話での現れ方について」,『言語の類型的特徴対照研究会論集』第 2 号. pp.111-135. 日中言語文化研究社.

ラオ語の主題について[1]
Topic in Lao

鈴木　玲子（東京外国語大学）

Reiko SUZUKI (Tokyo University of Foreign Studies)

要　旨

　本稿は、ラオ語における主題標示の手段を記述し、その内容をふまえて主題の種類と主題の機能について検討することを目的とする。ラオ語は主題標示の手段として、主題を文頭に置くという文法的手段を義務的に用いる。加えて形態的手段を積極的に、さらには音声的手段を補助的に併用することもある。ラオ語の主題には2種類あるが、共通する機能として前述の談話場面とは異なる場面を設定し、主題から後方照応可能領域までを談話の一場面としてまとめるという機能を有している。

キーワード：ラオ語，主題，主題マーカー，情報構造

1　はじめに
1.1　目的

　本稿は、ラオ語における主題標示の手段を記述し、その内容をふまえて主題の種類と機能について検討することを目的とする。言語資料は、現代ドラマの台本 Dokked(2013)「huacay paatthanaa[2]」（希望という想い）と 2021 年 2 月から 4 月にかけて採録した自然会話の動画とその会話スクリプト 3 本[3]を使用する。動画を使用した理由は、話し手の表情や、主題における音声学的手段を検討するためである。本稿の例文末尾にある番号は、言語資料の出典箇

---

[1] 本研究は JSPS 科研費 JP17H02331 の助成を受けた研究の成果の一部である。
[2] この台本は、Bounyavong, Douangdueane 氏による同名小説（1989）を Dokked グループがラジオの台本用に書きおろし、印刷販売しているものである。
[3] 詳細は末尾の言語データリストを参照。

所を記している。なお、番号がない例文や使用許容度の判断はコンサルタントによるものである[4]。表記は鈴木（2006）に、略号はライプツィヒのルール（The Leipzig glossing Roles）[5]と鈴木（2019）に従う。

1.2　先行研究と本稿の構成

　ラオ語の主題について筆者は「ラオ語の語順と情報構造」（2020）で「主題は文頭に置く」「主題には"伝達内容の話題明示"と"叙述内容の範囲設定"の２種類がある」と述べた。しかし、小論では調査項目に基づき概要を示しただけである。そこで本稿では、前稿（2020）を議論の前提としてまず、第２章で主題を表す手段について体系的に記述し、第３章でラオ語における主題の種類と機能について検討する。

1.3　ラオ語について

　ラオ語の概要を以下に記す。

　ラオ語は東南アジアに位置するラオス人民民主共和国（以下「ラオス」）の公用語であり、主にラオスと東北タイに分布している言語である。系統はタイ（Tai）諸語南西タイ語群に属する。形態論的には語形変化のない孤立語タイプの言語である。基本語順は、文は「主語＋述語動詞＋補語」、句は「被修飾語＋修飾語」である。ここでいう補語とは動詞の意味を補う不可欠成分のことであり、動詞は補語を必要とするものとしないものがある。動詞と補語の結束性は強く、両者の間にはいかなる成分をも置くことはできない。

2　主題を表すための手段

　ラオ語の主題は文頭に置くことによって表される。従って野田（2004:194）にある主題を表すための３つの手段、即ち「1. 形態的手段」「2. 文法的手段」「3. 音声的手段」のうち、ラオ語は「文法的手段」を用いて主題を標示する言語であるということができる。けれども「形態的手段」や「音声的手段」

---

[4] コンサルタントは S.H 氏（女性・1995 年、ラオス・ビエンチャン都生れ、ビエンチャン都育ち）。ご協力に心よりお礼を申し上げる。

[5] The Leipzig glossing Roles (2015) /https://www.eva.mpg.de/lingua/pdf/Glossing-Rules.pdf /

を主題標示の手段として併用することがある。以下にこれらの手段について、ラオ語にとって義務的な手段である「文法的手段」、そうではない手段である「形態的手段」「音声的手段」の順にみていく。

2.1 文法的手段

ラオ語の主題は文頭に置く。即ち、基本語順である「主語＋述語動詞＋補語」の前に置く。ただし、主題兼主語の場合は例(1)のように基本語順と同じ形になる。

(1) 主語（感情・感覚の持ち主）が主題
<u>bák bên</u> bɔɔ yâan mǎa nɔʔ[6] （動画 1 .12'10"）
kid Ben NEG scare dog PTCL
「ベンちゃんは犬を怖がらないんだね」

(2) 副詞句（時間）が主題
<u>mûɯɯʔɯɯn sâw</u> lúŋ máa tɯɯum （p.65.l.20.）
tomorrow morning uncle come again
「明日の朝、伯父さん、また来てね」

(3) 補語（動作の対象）が主題
caŋmɛɛn máa thán, <u>bǎnhǎa nân</u> kɛ̂ɛ dây phɔ́ɔdǐi （p.133.l.11.）
absolutely come in time problem DEM solve PSBL just
「本当によいときに来たわ、その問題はちょうど解決できたところよ」

文頭に置きにくい補語が主題の場合は、文頭に置くと同時に形態的な手段（後述 2.2）を用いることが多い。また、もう一つの文法的手段として、コピュラ mɛɛn を使う名詞分裂文にすることもある[7]。例えば、

---

6 下線部は主題部を表す。
7 コピュラ mɛɛn の機能や名詞分裂文については別稿で検討する。

(4) 補語（与えるモノ）が主題

    hǔa sâaŋ   hǔa hêɛt   mɛɛn bɔɔ ʔǎw hày dɔ̀ɔk   （p.68.l.15.）

    head elephant head rhino COP NEG take give PTCL

    「ゾウの頭やサイの頭はあげないわよ」

(5) 述語動詞句（動作）が主題

    <u>tɛɛŋ kǐn</u> mɛɛn láaw

    cook eat COP   3

    「料理を作ったのは彼女だ」

　例（4）や（5）の「Xmɛɛn Y」文は、「X は Y というものである/等価値である」という文である。X はある対象指示物を表しており、Y は X に値する属性を表す部分ということになる。これは益岡（2004:4-9）の述べる属性叙述に相当する。このような叙述文である以上、X は必ず主題である。

　ところで次例(6)のように主題と思われる成分を文末に置く、いわゆる後置文の形もある。この場面は、話題「今日網を張りに行ったこと」の網を張った回数を聞いている場面である。

(6) <u>mûɯɯnîi</u>   dây   cák   thîaw,   pǎy lǎy   （動画 1 .1'08"）

    today   ACHV NUM-Q CLF go float

    「今日は何回だったんだい、網を張りに行ったのは。」

　例(6)は「今日」のみを主題として文頭に置き、「網を張りに行った」を文末に置いている。文脈から「網を張りに行った」は旧情報で、話し手と聞き手の両者にとって自明であるので省略したが、改めて聞きたいことを明示したという形である。このように一見、主題を文末に置く形のように見える文もあるが、これは主題を文末に置く文法的手段ではなく、改めて補足説明する別の文が続いている形であると考える。

2.2 形態的手段

　形態的手段は、ラオ語においては主題標示のための義務的手段ではない。そのためか主題を標示する専用のマーカーはない。以下に挙げるのは、主題専用ではないものの、主題を明示するマーカーであると考えられるものである。

① 　指示詞由来の主題マーカー[8]

　主題の後ろに指示詞 nîi, nân を置いて主題を明示化する。nîi は話し手にとって近いものを指示する「この」、nân は遠いものを指示する「その・あの」に相当する[9]。主題マーカーとして機能する場合、直前の名詞句である主題に対する話し手の心理的な捉え方を表しており、自分にとって身近なことであれば nîi, そうではないことであれば nân を置く。例えば例(7)の学校の役割を説明する文の主題「学校＋nîi」は特定の学校を指示しているとは捉えられないし、例(8)の主題「僧侶＋nân」も特定の僧侶ではなく、僧侶全般を指している。

(7)　<u>hóoŋhían nîi</u> mɛɛn bɔɔn thii sǎmkhán náy kǎandǎmlóŋsíiwit khɔ̌ɔŋ déknɔ̀ɔy
　　　school TM COP place REL important PREP-in NMLZ-live POSS child
　　　「学校(というもの)は、子供の生活にとって重要な場所である」

(8)　thámmadǎa <u>khúubǎa yuu láaw nân</u>　tɛɛŋŋáan sàaŋ khɔ̂ɔpkhúa bɔɔ dây dáy
　　　usually　　monk　PREP-at Laos TM　marry build family NEG PSBL PTCL
　　　「普通、ラオスの僧侶は、結婚して家族を持つことはできないんだよ」

　nîi nân 連続形もあり、相反する指示の意味を持つ連続形における nân には事物を指示する語彙的意味は全くなく、主題を明示するためだけに用いられている(例(9))。

---

[8] 義務的なマーカーではないので、狭義には「主題マーカー」と言えないかもしれないが、主題を明示するという意味で使用する。

[9] ラオ語の指示詞は日本語と異なり、2項対立である。

21

(9) khuwáam cǐŋ thɛ̂ɛ ʔâay káp láaw phùu nîi nân,　ka bɔɔ dây tɛɛŋ dɔ̀ɔk

　　NMLZ-true truth brother and 3 CLF DEM TM　LNK NEG marry PTCL

　「本当はお兄さんとこの人はね、結婚していないのよ」(TSY07515X)

② 句末詞由来の主題マーカー

　主題の後ろに句末詞[10]hàn[11], niʔ, naʔ, laʔ, lɛ̌ʔ を置いて主題を明示化する。以下にそれぞれの例を挙げる。

(10) thâaw kɛ̂ɛw kɔ̌ɔŋ lot thǎy　 hàn pěn nɛ́ɛwdǎy　 (p.17.l.5)

　　Mr.　Keo filter cultivator TM COP how

　「ケォさん、耕運機のフィルターの調子はどう？」

(11) tǒo　 nîi　niʔ　sam　 mûɯɯkîi mɛɛn bɔ́ɔ （動画 1.2 '10"）

　　CLF this TM　semilar another right　Q

　「これはさっきのぐらいでしょ？」

(12) láakháa nîi naʔ　 lúam tháŋ ʔǎahǎan phɔ̂ɔm dáy

　　price DEM TM　sum PERP food　include PTCL

　「この値段はね、料理代も入っているよ」（動画 3.4'12"）

(13) búpphǎa laʔ　 khúɯɯ bɔɔ hěn máa námkǎn （p.85.l.7.）

　　Buppha TM　why NEG see come tigether

　「ブッパーは何で一緒に来なかったの？」

---

[10] これらは一般に文末詞 Sentence-final particle(Enfield 2007) と呼ばれている。しかしながら句末にも置くことができるので本稿では「句末詞」と呼ぶ。Enfield 2007 には nân, hàn, niʔ, phûn, (naʔ) が topic marker として挙げられている(Enfield2007:101)。

[11] hàn は場所の前置詞 yuu と結合して指示詞 yuuhàn 「そこ」という形で使われるが、単独で指示詞としては使われない。①の指示詞グループに属すとも解釈できなくもないが、句末詞としても多用されるので本稿では②句末詞グループに入れる。

(14) khɔ̀y lɛ̀ʔ ɲáam lɛ́ɛŋ

　　　1 TM time evening

　「私はね、夕方よ」（動画 2.6'10"）

　これらの句末詞は、聞き手に注意喚起したり、情報の共有を求めるといった話し手の発話意図を表すモーダルマーカーであるので、厳密には話し手の発話意図によってどれを主題の後ろに置くかが決まるが、コンサルタントに実例(10)～(14)における互いの置換使用許容度調査を行ったところ、表1のようになった。

表1

例文番号	hàn	niʔ	naʔ	laʔ	lɛ̀ʔ
(10)	◎	○	○	×	×
(11)	◎	◎	○	△	△
(12)	◎	○	◎	○	○
(13)	◎	○	○	◎	×
(14)	◎	○	○	○	◎

備考：◎はもとの文に使用されている主題マーカーと
　　　置換できるもののうち、最も自然だと判定されたもの

　表1から hàn は全ての文で置換が可能であるので、主題マーカーとして最も通用範囲が広いと言える。そこで一部、前稿 (2020) の繰り返しになるが、この hàn の実例を通して実際にどのようなときに主題マーカーを置くのか、それはなぜなのか、を検討する。

　まず、hàn の使用が圧倒的に多かったのは動作主や感情の持ち主などを表す主語が主題の場合である。これは主語であれば、主題という有標の主語であろうがそうではない無標の主題であろうが、ラオ語では統語上は動詞の前に位置するため、hàn がないと主題であるのかどうかが判別しにくいためである。

(15) <u>câw hàn</u> bɔɔ khàwcǎy　(p.32.l.14)

　　2 TM NEG understand

　　「あんたにはわからないわよ」

　　次例(16)はコンサルタントの作例であるが、昆虫の習性について述べるとき、(16a) よりも hàn のある(16b)の方が表現として自然であり、よく使う形であると言う。

(16a) ○mέεŋmây　　bǐn bɔɔ kǎy

(16b) ◎<u>mέεŋmây hàn</u> bǐn bɔɔ kǎy

　　　 insect　　TM fly NEG far

　　　 「昆虫は遠くへは飛ばない」

　　次に hàn の使用例が多かったのは、行き先などを表す補語が主題の場合である。先の 1.3 で動詞と補語の結束性は強いと述べたが、明らかに「定」とわかる補詞の場合、hàn なしで動詞と切り離して文頭に置く例もあるにはある。しかしながら主題マーカーを伴う方が多い。例(17)は、「フォーの食堂だからラーメンはないよね」と店長に確認したところ、店長が「ラーメンはあるにはあるが、スープが云々」とラーメンについて説明している場面で、主題mii（ラーメン）のあとに hàn を置く例である。例(18)も主題「夜の労働作業」のあとに hàn を置く同様の例で、いずれの場合も hàn がない形はあまり言わない、わかりにくいということである。

(17) <u>mii hàn</u> míi,　tεε háw say nâm fɔ̌ə　　（動画 3.0'36"）

　　 noodle TM have but 1　enter soup Fo(noodle name)

　　 「ラーメンはあるわよ、でもうちではフォーのスープを入れるけど」

(18) <u>ʔɔ̀ɔk hέεŋ ŋáan kǎaŋkɯ́ɯn hàn</u> kǔu bɔɔ pǎy dɔ̀ɔk (p.122.l.1)

　　 go out power work night　TM　1 NEG go PTCL

　　 「夜の労働作業は俺、行かないよ」

前稿（2020）で、「定」の名詞句に捉えにくい「本を読む」の「本」や「学校へ行く」の「学校」などの補語は、それだけを取り出して主題として文頭に置くことはできないと述べた。その際、前者は「読書する」、後者は「通学する」という複合動詞に捉えやすい動詞句の補語部分で、動詞と補語を切り離しにくい意味であるという理由に拠るものであるとした。ところがよく検討すると、主題の後ろに主題マーカーhàn を付すと言う形態的手段を用いれば文頭に置くことができることがわかった（例(19)(20)）。

(19a) *pûm ∅ ¹²láaw ʔaan lɛ̂ɛw

(19b) pûm hàn, láaw ʔaan lɛ̂ɛw

　　　book TM 3 read PRF

　　　「本は彼女が読んだ」

(20a) *hóoŋhían ∅ láaw pǎy mûɯwáannîi

(20b) hóoŋhían hàn, láaw pǎy mûɯwáannîi

　　　school TM 3 go yesterday

　　　「学校は、彼は昨日行った」

　最後に対比の構文においても hàn をよく使う¹³ことを挙げておきたい。一般に hàn をはじめ、指示詞由来や句末詞由来のマーカーを使うといずれも対比的な意味合いが強くなるようである。

(21) háw hàn bɔɔ caay, múŋ hàn lɛ̂ʔ, caay　（動画3.8'32"）

　　　1 TM NEG pay　2 TM TM pay

　　　「私は払わないわよ、あんたよ、払うのは」

---

¹² ∅は「何の成分も置かない」の意味。別詞。

¹³ 文頭の hàn 付き名詞句が主題を表すと同時に対比の意味を含んでいるかどうかは使用場面に拠る。主題兼対比のときもあれば、対比のみのときもある。主題と対比の関係については堀川(2012)を参照。

③ 類別詞による明示

　類別詞を主題の前に置いて主題を明示する。他のものを排除し、主題で表されているもののみを特化する場面に使われる。次例(22)は類別詞 lûaŋ がなくてもよいが、lûaŋ があると「他のことはではなく、食べること」に特化していることになる[14]。

(22) lûaŋ ʔǎahǎan kǎan kǐn lûuk siʔ hap　　phít sôɔp　　ʔěeŋ　　(p.104.l.5.)
　　　CLF　food NOM-eat kid IRR accept responsibility self
　　　「食べることは自分で面倒をみるわ」

　次例(23)は、ラオス人ならば誰でも知っている児童唱歌「ウサギの歌」の出だし部分である。「類別詞 tǒo ＋ ウサギ」という形を使っている。ウサギに特化して特徴を述べる歌であるからである。

(23) tǒo　　kataay tǒo khǎaw khǎaw, hǔu ɲáaw ɲáaw, hǎaŋ pôɔm pôɔm
　　　CLF rabbit body white white　　ear long long　　tail Onomatopoenia
　　　「ウサギは体が白くて耳が長くてしっぽがポンポンしていて、～」

④ 代名詞による明示

　主題を文頭に置き、さらに主題と同じ指示物を表す代名詞を再帰することによって主題を明示する[15]。この形は主語が主題の時によく使う手段である。主題として文頭に置き、同じ指示物を表す代名詞を主語として述べることによって主語と主題が同一文内において別の構成素として明示される形である。即ち「主題兼主語＋述語動詞＋～」で主語が主題であるのかどうかわかりにくい形を避け、「主題＋主語＋述語動詞＋～」として互いに独立した主題と主語いう構成素を明示し、何が主題であるかが明確になるのである。次例(24)は、tǒo nîi　（これ）と代名詞 mán は同じ指示物を表しており、前者が主題、

---

[14] 例(23)の lûaŋ は事柄・話の類別詞、例(23)の tǒo は人以外の生き物の類別詞。
[15] 文法的手段かもしれないが、義務的ではなく、文法的手段と併用して使われるので便宜上、形態的手段に入れる。

後者が主語の例である。

(24) tǒo　nîi　mán cáʔ ʔɔ̀ɔk　sòm sòm cə̀ət cə̀ət　nɔ̀ynɯɯŋ[16]　（動画 3.8'02"）

　　CLF DEM it　IRR appear sour sour light light little

　　「これはちょっとだけすっぱくて薄味だわ」

　　補語や名詞句の修飾部分を代名詞で繰り返す形もある（例(25)(26)）。

(25) ninii ninoo tǐi láaw

　　Ninii Ninoo hit 3

　　「ニニ―はニノーが叩いた」

(26) ʔǎacǎan sěɛŋfâa lûuksǎaw phə̩n máa hían yuu ɲiipun

　　teacher Sengfa daughter 3-polite come study PREP-at Japan

　　「セーンファー先生は娘さんが日本に勉強しに来ている」

　　文法的手段と形態的手段を複数組み合わせて主題を明示する形もある。次
例(27)は、本節で挙げた②句末詞 hàn、③類別詞ʔǎn、④代名詞 mán を同時使
用した名詞分裂文の形の例である。

(27) ʔǎn khǎw waa hàn, mán mɛɛn thêɛ wáʔ　　（p.101.l.5.）

　　CLF 3　say TM　it　COP true PTCL

　　「彼が言っていたのは本当なんだね」

　　以上のことから形態的手段には、①指示詞、②句末詞、③類別詞、④代名
詞を用いる手段があり、主題として解釈しにくい場面や話し手が特に主題と
して明示したい場面では積極的に使用される手段であると言ってよい。

---

[16] 二重線部は主題繰り返しの代名詞を表す。

2.3 音声的手段

　主題を音声的手段で積極的に明示することはあまりないが、主題のあとにポーズを置くことがある。先の形態的手段①②で示した主題マーカーに強勢を置くこともある。その際、書記において個人差はあるものの、主題の直後に「,」を記したり、スペースをとったりすることがある。特に長い修飾句を伴う主題や主題マーカーを伴う主題のあとはポーズをとり、書記では「,」をつけ、スペースをとる傾向がある。

(28) <u>wîak　náa　hóom　nân,</u>　nɔ̂ɔŋ　phíaŋtɛɛ phùu cát bɛŋ thawnân　　(p.92.l.17)

　　 work paddy gather that-DEM　　younger sister only person arrange divide only

　　 「あの共同水田での役目は、私はただ（田を）分配するだけなんだけど」

2.4 主題標示手段の全容

　「ゾウは鼻が長い」文を使って本章で挙げた主題を表すための手段を用いた使用許容度を以下に示す。

(29a) 文法的手段（文頭に置く）　　△<u>sâaŋ</u> ŋuaŋ ɲáaw

　　　　　　　　　　　　　　　　elephant nose long

　　　　　　　　　　　　　　　　「ゾウは鼻が長い」

(29b) 文法的手段（名詞分裂文）　　○<u>sâaŋ</u> mɛɛn ŋuaŋ ɲáaw　　(mɛɛn:COP)

(29c) 文[17]＋形態的手段①（指示詞）　△<u>sâaŋ nîi/nân</u> ŋuaŋ ɲáaw (nîi/nân:DEM-TM)

(29d) 文＋形態的手段②（句末詞）　◎<u>sâaŋ hàn</u> ŋuaŋ ɲáaw　　(hàn:PTCL-TM)

(29e) 文＋形態的手段③（類別詞）　○<u>tǒo sâaŋ</u> ŋuaŋ ɲáaw　　(tǒo:CLF)

(29f) 文＋形態的手段④（代名詞）　○<u>sâaŋ</u> ŋuaŋ mán ɲáaw　　(mán:it)

　（29b）（29d）（29e）（29f）は使用許容度が○以上で、その中でも（29d）が◎と最も高い。また、音声的手段はいずれの場合も不要である。使用許容度が低

---

[17] 「文」は「文法的手段」の略。義務的手段なので、29a～29f の全てにおいて適応される。

い例(29a)は、全く同じ構造で名詞句「鼻の長いゾウ」に解釈できることや「ゾウ」を他の動物と対比している場面を考えやすく、対比文として形態的手段を使う形の方がよいと判断されたことが起因している。(29c)が低いのは、nîi/nân が「この/そのゾウ」とゾウを直示してる指示詞として解釈できるためである。

以上のことからラオ語は文法的手段で主題を標示するものの、場面によっては形態的手段を積極的に使用する手段として使い、音声的手段は、解釈を容易にするための補助的手段であるとまとめることができる。

3　ラオ語文における主題

本章では、第2章で述べた主題を表す手段をもとにラオ語における主題の種類と機能について検討する。

3.1　形態的手段と主題の種類

第2章で示した形態的手段を用いる方がよい文、もしくは用いなければならない文は、同じ成分[18]を使って無標の基本語順[19]の文に書き換えることができる。主題を代名詞によって再帰することができるのはこのためである。次例(30)は主題「言葉」に主題マーカーhàn を置く形態的手段をとっている文で、(30')に示す無標の基本語順の文に書き換えが可能な例である。

(30) <u>pháasǎa hàn,</u> nôy keŋ[20]

　　languageTM Noi good at

　　「言葉はノィが得意だ」

(30') nôy keŋ pháasǎa

　　 Noi good at language

　　「ノィは言葉が得意だ」

---

[18]　正確には形態的手段を削除した同じ成分。

[19]　無標の基本語順とは「主語＋述語動詞＋補語」のこと。

[20]　この文は形態的手段を用いないと非文になる。*<u>pháasǎa nôy keŋ</u>

29

一方、主題に形態的手段を用いなくてもよい文は、同じ成分を使って無標の基本語順の文に書き換えることが可能なものと不可能なものがある。例(31)は書き換えが可能で、先の例(28)や例(32)は不可能な例である。

(31) <u>màakhuŋ</u> khǎay síphàa phán　　（動画 2.4'6"）

　　　papaya　　sell　　15000

　　　「パパイヤは 15000 で売ってる」

(31') khǎay màakhuŋ síphàa phán

　　　sell　　papaya　　15000

　　　「パパイヤを 15000 で売ってる」

(32) <u>kin　hɔ̌ɔm　nîi</u>　　khàw náa háw hôɔt ɲáam kiaw lɛ̂ɛw

　　　smell fragrant TM　rice rice-field 1 arrive time mow PRF

　　　「この香りは、私の田んぼ、稲刈りの時期になったのよ」

　無標の基本語順に書き換えることができる文の主題はいずれも文脈上、前方照応が可能な旧情報であり、後続する叙述内容の話題を表している。一方、無標の基本語順に書き換えることができない文の主題はいずれも文脈上、前方照応が不可能な新情報であり、後続する叙述内容の範囲を表している。前者が鈴木（2020）の「話題明示の主題」に、後者が「範囲設定の主題」にあたる[21]。

　ところで、ラオ語と比較的類似の類型的特徴を有する中国語の主題について論じた澤田・中川（2004）にも同様の記述があり、そこでは述語動詞との格成分に変換ができるか否かを基準として前者を「アーギュメント主題」、後者を「ドメイン主題」と呼んでいる。筆者の述べる 2 種類の主題と全く同じ

---

[21] この 2 種の主題は Chafe(1976)の「英語式＝aboutness を表す主題」と「中国語式＝frame を表す主題」に対応するものであると考えられる。後者は主題卓越型言語のみに見られる特徴であるということから、ラオ語も「主題卓越型言語」であるということができるであろう。

であるかどうかは今後の検討課題としたい[22]が、ドメイン主題の下位区分 (澤田・中川 2004:23) を援用し、以下に範囲設定の主題を挙げる。例(33, 34)は時間、(35, 36)は場所、(37)はカテゴリー上位、(38, 39)は発生・出現源、(40)は頻度を設定している例である[23]。これらはいずれも無標の基本語順に書き換えることができない。

(33) <u>ɲáam kǎaŋ laduǔu hɔ̂ɔn</u>, khàw náasɛ́ɛŋ phúam ŋáam (p.7.l.1 改)

 time middle summer rice rice-field PROG beautiful

 「暑季中頃は水田の稲がちょうど色づいている頃である」

(34) <u>mûɯunàa</u> sɔ̀ɔn máa yǎam may (p.131.l.13.)

 next time please come visit again

 「今度また来てください」

(35) <u>phúu phâak nǔa</u> pùuk tôn màakkûay lǎay

 mountailn part north plant tree banana many

 「北部の山にはたくさんのバナナの木が植えられている」

(36) <u>yuu húan khámlàa</u> hɔ̀ŋ dǎy kɔɔ tây khɔ̌ɔm huŋ (p.63.l.1.)

 PREP-at home Khamla room any LNK light lamp bright

 「カムラーの家はどの部屋もランプが明るく灯っていた」

(37) <u>(náy) bǎndǎa màakmây</u> khɔ̀y mak màakmuaŋ thiisút ?

 PREP-in all fruit 1 like mango best

 「果物の中では私はマンゴーが一番好きです」

---

[22] 澤田・中川 (2004) では後続名詞句の属格に書き換えることができる主題をドメイン主題に分類している。筆者は基本語順に書き換えが可能なことからドメイン主題相当の「範囲設定の主題」ではなく、「話題明示の主題」に分類している。

[23] 澤田・中川 (2004) では「発生・出現源」を「背景」とし、「頻度」という区分はない。

(38) Ɂubáttihèet nân lot kûu pháy máa wáy

    accident   DEM ambulance come fast

    「その事故は救急車が早く来た」

(39) kǎan khɛɛŋkhǎn ninii káp ninoo ninoo sǐa ninii

    NMLZ-compete Ninii and Nonoo Ninoo lose Ninii

    「ニニーとニノーの試合は、ニノーがニニーに負けた」

(40) thámmadǎa láaw bɔɔ khɤ́əy   phit   nat

    usually   3   NEG EXP mistake promise

    「普通、彼女は約束を破らないです」

　疑問詞疑問文のふるまいも主題の種類によって異なる。「話題明示の主題」は、主題の場所に「mɛɛn＋疑問詞」を置くか(例41)、基本語順の疑問詞疑問文でたずねる(例41')。一方の「範囲設定の主題」は、時間や場所の場合は主題の場所に疑問詞のみを置いて疑問詞疑問文にする[24](例42)ことができる一方で、カテゴリー上位、発生・出現源、頻度の場合は疑問詞疑問文そのものが作れない（例37, 38, 39, 40）という特徴を有する。

(41) mɛɛn ɲǎŋ khǎay síphàa phán   ((31)の文を疑問詞疑問文にする)

    COP what sell   15000

    「何が 15000 で売っていますか？」

(41') khǎay ɲǎŋ síphàa phán

    sell   what   15000

    「何を 15000 で売っていますか？」

---

[24] 時間と場所については、話題明示の主題の場面もある。このときは疑問詞を文末に置く。疑問詞「いつ」「どこ」が他の疑問詞と異なり、文末と文頭に置く2つの形を許すのは話題明示の主題と範囲設定の主題の2種類があるためである。

(42) mûɯɯdǎy khàw náasɛ́ɛŋ phúam ŋáam 　　　（(32)の文を疑問詞疑問文にする）

　　when　　rice rice-field PROG beautiful

「いつ水田の稲がちょうど色づきますか？」

　以上のことから前稿（2020）では主題の意味役割から「話題明示」と「範囲設定」という２種類の主題があるとしたが、類型的な違いからも区別できるということがわかった。

3.2　主題の機能

　前節で主題には２種類あることを示したが、情報構造の観点から次の疑問が生ずる。

　１）話題明示の主題は旧情報である。一般に旧情報は省略できるはずだが、省略せずに敢えて文頭に置いて述べるのはなぜであろうか。

　２）範囲設定の主題は多くの場合、新情報である。一般に新情報は情報量が高く、最も伝えたいこと、即ち焦点であるので、ラオ語では文末に置くはずだが、文頭に置くのはなぜであろうか。

　これらの疑問に対する答は、主題はいかなるときに述べなければならないか、ということであり、換言すれば主題の機能を示すものである。

　ラオ語は時制を表す文法標示や動詞との格関係を表す接辞がない。このような言語において、主題は談話の結束性や線条性を支え、円滑な伝達機能を果たしていると考えるのが妥当であろう。そこで、主題が出現する前と後ろの叙述内容、話し手の発話意図や視点、表情や声色に着眼したところ、まず、前述部分と主題の間には次の特徴［１］があることがわかった。

　［１］主題と前述部分は単一の場面ではない。前述部分は、主題とは別の話題や範囲に関する叙述であったり、話し手が異なる視点や発話意図で叙述している部分である。

［1］は、主題は単なる場面[25]の設定だけではなく、先行場面に対する何らかの転換機能を担っていることを示している。前述と単一場面の旧情報の主題であれば、1）のとおり省略されるべきである。けれども省略されずに主題として出現しなければならないのは、前述内容を引継ぎつつ、単一とは言えない場面の転換を図ることを示すために必要だからである。2）に対しては、前述部分とは異なる場面であるからこそ、まず文頭で提示し、情報を伝達しやすくしていると考えると説明がつく。つまり主題は、前述の談話場面とは異なる場面を設定するという機能を有しているのである。次の例(43)は諾否疑問文Qと回答文Aのやりとりであるが、応え方として使用できる文を考えると、主題の場面転換設定という機能が明らかによみとれる。

(43) Q: câw khɔ̌əy kǐn ʔǎahǎan láaw bɔ̌ɔ
　　　　 2　EXP eat　food　Laos Q
　　　　「あなたはラオス料理を食べたことがありますか？」

　A1 :　 khɔ̌əy, ʔǎahǎan láaw khɔ̌əy kǐn
　　　　「はい、ラオス料理は食べたことがあります」

　A2: * ʔǎahǎan láaw khɔ̌əy kǐn.
　　　　「ラオス料理は食べたことがあります」

　A3:　 kɛ̌ɛŋ nɔɔmây khɔ̌əy kǐn,　 tɛɛ ʔɔ́lǎam bɔɔ khɔ̌əy kǐn
　　　　soap bamboo shoot EXP eat but Olam NEG EXP eat
　　　　「竹の子スープは食べたことがありますが、オラームはありません」

　A4: *khɔ̌əy kǐn kɛ̌ɛŋ nɔɔmây, tɛɛ bɔɔ khɔ̌əy kǐn ʔɔ́lǎam
　　　　「竹の子スープを食べたことがありますが、オラームを食べたことはありません」

　諾否疑問文は「はい」あるいは「いいえ」の返答を必須としていることから「食べたことがある」という返答部分がある A1 は回答文として適格である。A2 の返答部分がなく、「ラオス料理」を主題化した文は回答文として不

---

[25]　この場合の「場面」とは、談話に係る言語行動、談話を成立させる諸要素を含む。例えば、話し手の視点や発話意図、話し手と聞き手の関係など。

適格である。けれども直接諾否の返答をせず、食べたことのある具体的料理名をいきなり主題として挙げている A3 は適格である。この A3 は回答文というよりは質問に対して視点を変えた応え方になっている。このように前述の内容とは異なる視点で叙述を図るときに主題を文頭に置くのである。また、A4 のように具体的料理名を基本語順の補語の位置、即ち動詞の後ろに置いた文は文法的には正しい文であるが、このやりとりにおいては意味不明文となり不適格である。このことは、主題は場面転換設定の際に文頭に置かなければならないということを示している。

　一方、主題と後述部分の関係に着眼すると、両者の間には次の特徴［２］があることがわかった。

　［２］主題と後述部分は単一の場面である。後述部分は、主題と同じ話題や範囲に関する具体的な叙述である。そのため主題は後方照応が可能である。

　［２］は、主題から後方照応可能領域までが談話の一場面であるということを示している。主題は場面をひとまとまりにして談話の結束性を支え、聞き手の情報理解を容易にしている。つまりラオ語の主題も益岡（2004：13）の言う談話の各単位（ブロック）のまとまりを示すという場面結成の機能を有している。

4　まとめ

　本稿ではまず、ラオ語における主題を表す手段として、主題を文頭に置くという文法的手段を義務的に用いると共に、場面によっては形態的手段を積極的に使用することを示した。次に、類型的特徴からも意味役割からも２種類の主題があることを明らかにし、最後に、なぜ主題を言わなければならないのか、という点に着眼して、ラオ語における主題の機能を検討した。その結果、すべての主題に対する統一的な記述として、前述の談話場面とは異なる場面を話し手が設定し、主題から後方照応可能領域までを談話の一場面としてまとめるという機能を有しているとすることができる。これらが示すのは、主題を述べることは円滑な伝達機能を果たすという事実である。

参考文献

言語の類型的特徴対照研究会・編 2019.『言語の類型的特徴対照研究会論集』第 2 号. 日中言語文化出版社.

澤田浩子・中川正之 2004.「中国語における語順と主題化－主題化とその周辺の概念を中心に－」益岡 隆志・編『主題の対照』pp.19-42. くろしお出版.

鈴木 玲子 2006.「ラオ語の名詞句」『東南アジア大陸部諸言語の名詞句構造』pp.119-153. 東南アジア諸言語研究会編, 慶應義塾大学言語文化研究所.

_____. 2019.「ラオ語の情報表示の諸要素」『語学研究所論集』第 24 号. pp.393-400. 東京外国語大学語学研究所.（言語データ）

_____. 2020.「ラオ語の語順と情報構造」『東京外大東南アジア学』第 26 号. pp.43-75. 東京外国語大学東南アジア地域ユニット.

野田 尚史 2004.「主語の対照に必要な視点」益岡 隆志・編『主題の対照』pp.193-213. くろしお出版.

堀川 智也 2012.『日本語の「主題」』ひつじ書房.

益岡 隆志 2004.「日本語の主題－叙述の類型の観点から－」益岡 隆志・編『主題の対照』pp.3 17. くろしお出版.

_____・他編 1995.『日本語の主題と取り立て』くろしお出版.

峰岸真琴 2019.「タイ語の情報構造に関わる諸表現」『慶應義塾大学言語文化研究所紀要』第 50 号. pp.189-204. 慶應義塾大学言語文化研究所.

Enfield, N.J. 2007. "A grammar of Lao." Mouton de Gruyter.

Li, Charles N & Sandra A. Thompson 1976. "Subject and Topic." New York: Academic Press.

言語データ

Dokked. 2013. 'huacay paatthanaa'（希望という想い）. Dokked Co. Ltd.,

動画 1 「メコン河畔の散歩」14'39"　撮影日 2021.2.

動画 2 「コックポー市場で買い物」12'19"　撮影日 2021.3.

動画 3 「ランチしながら」9'43"　撮影日 2021.4.

クメール語の焦点化及び分裂文
Cleft Sentences in Khmer

上田　広美（東京外国語大学大学院総合国際学研究院）
Hiromi UEDA (Institute of Global Studies, TUFS)

要　　旨

　本稿ではクメール語の焦点化について、「分裂文に関する共通調査確認項目」（峰岸 2019b）に基づき、文の要素がどのように焦点化されるか調査を行い、主語動作主、被動作者、時間付加詞、場所付加詞については、それぞれを表す名詞句に文末小辞を後続させることで焦点化できることを示した。さらに、このような強調構文が用いられる環境を用例から調査し、名詞句に後続する小辞は焦点化のマーカーのみに用いられる特別な語ではなく、文や節の末尾で用いられる基本的な用法に準じること、小辞/haəj/が焦点化する名詞句には指示詞が必要とされること、一方、小辞/tèe/が焦点化する名詞句は存在動詞や限定の表現と共起しやすいことを示した。

キーワード：　分裂文，焦点，クメール語

1　はじめに

　クメール語[1]の基本語順は「主語＋述語＋補語＋修飾語句（時間付加詞や場所付加詞）」であるが、補語あるいは修飾語句を文頭に移動して主題とすることができる。とりわけ時間付加詞は主題になりやすい（上田 2011）。しかし、文頭の名詞句がすべて主題というわけではなく、Haiman（2011:249-250）では、文頭に置かれた名詞句に特定のマーカーを後置しさらに名詞節を続けることで、その名詞句を焦点化できる分裂文の例が挙げられている。

　本稿に先立つ上田（2020）では、「東南アジア諸言語情報構造調査票」（峰

---

[1] 本研究は JSPS 科研費 JP17H02331 の助成を受けたものである。クメール語の作例や用例の解釈、及び使用場面の判断については、カエプ・ソクンティアロアト先生（カンボジア王立プノンペン大学）の判断に従った。ご助言に深く感謝する。

岸 2019a）に基き、クメール語のやりもらい文、一項構文、引用節を含む選択疑問文、数量詞句の名詞句からの遊離について、句の位置と情報構造の相関を調査したが、分裂文については、以下の疑問文の1例を示すのみにとどまった。

(1)　　nèərii　　<u>ruɯ</u>　　dael　　mɔɔk[2]

　　　　PSN　　　Q　　　　REL　　来る

　　　　「来たのはニアリーなのか？」

　本稿では、文中のどの要素がどのように焦点化されるかについて、「分裂文に関する共通調査確認項目」（峰岸 2019b）による調査を行う。さらに、資料[3]として現代文学作品及びウェブメディアから例文を収集し、焦点を表すマーカーとして、どの小辞がどのような文脈で用いられるか、出現環境について検討する。

2　名詞句に後続する小辞

2.1　文末小辞

　クメール語の文や節の末尾には小辞が現れることがある。例（1）の/ruɯ/もその一つで一般疑問文の文末で疑問を表す小辞である。これらの小辞について、先行研究によって呼び方[4]や範囲は異なるが、文もしくは節の末尾に現れる点と、複数の小辞が共起し得る点ではおおむね意見が一致している。

　このような小辞の中から、本稿では、例（1）で示した/ruɯ/の他に、肯定文で現れる/haəj/と/tèe/を扱う。本稿の例文中に現れるこの3種類の小辞には下線を付す。

---

[2] 本稿の表記は音韻表記で、坂本（1988）に従う。先行研究から引用した用例も便宜上表記と逐語訳を統一した。複合語として逐語訳をつけたものは、-を付加した。略語は以下の通り。1人称 1, 使役 CAUS, 助数詞 CLF, 否定 NEG, 名詞化マーカー NOM, 文末詞 PTCL, 進行 PROG, 完了 PRF, 人名 PSN, 複数 PL, 疑問マーカー Q, 関係代名詞 REL, 2人称 2, 単数 SG, 3人称 3

[3] 出典は、本稿末尾の用例出典一覧に示す略号で各例文末尾に記す。

[4] Haiman(2011)は clause-final adverbial としており、他の先行研究では、final sentence particles、final (phrase) particles、文末小辞、文末詞としている。

文末に位置する/haəj/は、基本的に「既にある状態になっている」という完了を表す。それに加え、Khin（1999:353-354）では、以下の例(2)のように文末に置かれた場合や、/mɛɛn/＜本当に＞、/praakɔt/＜確実に＞、/ʔɔŋcəŋ/＜そのように＞といった意見を表す副詞に後続した場合に、主張を強める用法として紹介している。

(2) 　ʔaɲ 　mun 　təv 　　tèe 　　　ʔaɲ 　nəv 　ptèəh 　haəj
　　　　1S 　NEG 　行く 　PTCL 　　1S 　いる 　家 　　　PTCL
　　　「行かないよ、家にいるんだ。」（Khin 1999:354）

　一方、/tèe/は、単独で拒絶の返答に用いられたり、否定文の文末に置かれることが多い。肯定文で用いられる/tèe/の用法について、Khin（1999:402）では、/ksaoj/＜弱い＞、/cɨt/＜近い＞、/tɔc/＜少ない＞、/tooc/＜小さい＞、/tèəp/＜低い＞、/krɔɔ/＜貧しい＞、/sdaəŋ/＜薄い＞、/cèə/＜健康な＞といった価値を表す形容詞を含む肯定文で用いられ、文の意味の確実性を強めている、と述べている。以下に例(3)を示す。

(3) 　　　cɨt 　　　　tèe
　　　　　近い 　　　PTCL
　　　「（ここから確かに）近い。」（Khin 1999:402）

2.2　焦点化のマーカー

　クメール語の焦点化に関して、Haiman（2011:249-250）では、名詞に後続する/haəj dael/の連続は焦点を示すマーカー（focus marker）であり、英語の”It is X that S”に相当するのがクメール語の”X /haəj dael/ S”であるとし、以下の例(4)を挙げている。

(4) 　siəvphəv 　nuh 　　haəj 　　dael 　　jə̀əŋ 　　trəv-kaa 　ʔəjləv
　　　　本 　　　DEF 　　PTCL 　　REL 　　1PL 　　必要とする 　今
　　　「我々が今必要としているのはその本なのだ。」(Haiman 2011:249)

　また、Haiman（2011:249-250）では、焦点化のマーカーとして、/haəj/または/dael/を単独で用いたもの、/haəj dael/の連続、/haəj/に他の接続詞が後続したもの（例として/haəj tèəp/）の4種類が用いられると挙げている。さらに、焦点化された名詞句に/kɯɯ/を前置することができると述べている。

/haəj/の後に/dael/以外の接続詞が続く連続に関しては、Haiman（2011:249-250）で例として挙げられている/haəj tèəp/の連続を含む文は、必須条件を表す用例に限定されている。従って、さまざまな文の要素を焦点化する今回の例文調査には、/haəj dael/の連続が最もふさわしいと考えた。

このような/haəj dael/の連続を含む文は、本稿で収集した例文中にもみられたが、その一方で、同じ構文で、肯定文の焦点化のマーカーとして/haəj/ではなく/tèe/が用いられる以下の例（5）のような用例も見られた。

(5)　　　kɲom　　tèe　　dael　　ksaoj
　　　　　1SG　　PTCL　REL　　弱い
　　　　「虚弱なのは私だった。」（NRK）

以上のことから、以下 3.1 の「分裂文に関する共通調査確認項目」（峰岸 2019b）の例文調査では、焦点化された名詞句に/kɯɯ/を前置し、名詞句の後に/haəj/もしくは/tèe/のいずれかが続き、さらに/dael/が続く用例を調査した。

3　分裂文の調査

3.1　名詞句が先行する構文

以下、「分裂文に関する共通調査確認項目」（峰岸 2019b）の例文をクメール語で調査した結果を示す。

(6)　soophaat　tèn　siəvphəv　bəj　kbaal　nɔv　haaŋ-saalaa pii-msəl-məɲ
　　　PSN　　　買う　本　　　3　CLF　　で　生協　　　　昨日
　　　「ソパートが昨日生協で本を 3 冊買った。」

この例（6）について、文の要素のうち、主語動作主/soophaat/＜ソパート（人名）＞、被動作者/siəvphəv/＜本＞、時間付加詞/pii-msəl-məɲ/＜昨日＞、場所付加詞/haaŋ-saalaa/＜生協＞、数量/bəj kbaal/＜3 冊＞、動作述語/tèn/＜買う＞のそれぞれが焦点化できるかどうかについて調査を行った。焦点化された名詞句に前置される/kɯɯ/、及び、名詞句に後置される/haəj/もしくは/tèe/、それに続く/dael/、という 3 つの要素は、必ずしも全ての文に 3 つそろって現れるとは限らないが、この例文調査では省略せずに作例した。

まず、焦点となる名詞句が先行する文について、検討する。

例（7）は主語動作主/soophaat/＜ソパート（人名）＞の焦点化の例である。

40

/haəj/を用いる例 (7a) には、/haəj/の直前に指示詞/nuh/<それ>が必要であった。この２例の使用場面の違いとしては、/haəj/を用いる例 (7a) では、先行文脈で他者がソパートについて言及しており、その内容に同意して「あなたが言ったそのソパートが」と発話する場面が想定された。一方、/tèe/を用いる例 (7b) では、先行文脈中で他者との対比が存在し、「他の人ではなくソパートが」と主語を強調する場面が想定された。

(7a)   kɯɯ   soophaat   nuh   <u>haəj</u>   dael   tèɲ   siəvphèv   bəj   kbaal

        COP   PSN   DEF   PTCL   REL   買う   本   3   CLF

        nəv   haaŋ-saalaa   pii-msəl-məɲ

        で   生協   昨日

        「昨日生協で本を３冊買ったのは（その通り）ソパートだ。」

(7b)   kɯɯ   soophaat   <u>tèe</u>   dael   tèɲ   siəvphèv   bəj   kbaal

        COP   PSN   PTCL   REL   買う   本   3   CLF

        nəv   haaŋ-saalaa   pii-msəl-məɲ

        で   生協   昨日

        「昨日生協で本を３冊買ったのは(他の人ではなく)ソパートだ。」

例 (8) は被動作者/siəvphèv/<本>の焦点化の例である。上述の主語動作主の用例と同じく、/haəj/を用いる例(8a)には、指示詞/nih/<これ>が必要である。また、２例の使用場面の違いも例 (7) と同じであった。

(8a)   kɯɯ   siəvphèv   bəj   kbaal   nih   <u>haəj</u>   dael   soophaat   tèɲ

        COP   本   3   CLF   DEF   PTCL   REL   PSN   買う

        nəv   haaŋ-saalaa   pii-msəl-məɲ

        で   生協   昨日

        「ソパートが昨日生協で買ったのは（その通り）この３冊の本だ。」

(8b)   kɯɯ   siəvphèv   bəj   kbaal   <u>tèe</u>   dael   soophaat   tèɲ

        COP   本   3   CLF   PTCL   REL   PSN   買う

        nəv   haaŋ-saalaa   pii-msəl-məɲ

        で   生協   昨日

        「ソパートが昨日生協で買ったのは(他の物ではなく)３冊の本だ。」

例 (9) は時間付加詞/pii-msəl-məɲ/<昨日>の焦点化の例である。上述の主

語動作主の用例と同じく、/haəj/を用いる例（9a）には、指示詞/nɯŋ/＜あれ＞が必要である。また、2例の使用場面の違いも例（7）と同じであった。

(9a)　　kɯɯ　pii-msəl-məŋ　nɯŋ　haəj　dael　soophaat　tèŋ
　　　　COP　昨日　　　　　DEF　PTCL　REL　PSN　　　　買う

　　　　siəvphəv　bəj　kbaal　nǝ̀v　haaŋ-saalaa
　　　　本　　　　3　　CLF　　で　　生協
　　　　「ソパートが生協で本を3冊買ったのは（その通り）昨日だ。」

(9b)　　kɯɯ　pii-msəl-məŋ　tèe　dael　soophaat　tèŋ
　　　　COP　昨日　　　　　PTCL　REL　PSN　　　買う

　　　　siəvphəv　bəj　kbaal　nǝ̀v　haaŋ-saalaa
　　　　本　　　　3　　CLF　　で　生協
　　　　「ソパートが生協で本を 3 冊買ったのは（他の日ではなく）昨日だ。」

　例（10）は場所付加詞/haaŋ-saalaa/＜生協＞の焦点化の例である。上述の主語動作主の用例と同じく、/haəj/を用いる例（10a）には、指示詞/nih/＜これ＞が必要である。また、2例の使用場面の違いも例（7）と同じであった。

(10a)　kɯɯ　haaŋ-saalaa　nih　haəj　dael　soophaat　tèŋ
　　　　COP　生協　　　　DEF　PTCL　REL　PSN　　　買う

　　　　siəvphəv　bəj　kbaal　pii-msəl-məŋ
　　　　本　　　　3　　CLF　　昨日
　　　　「ソパートが昨日本を3冊買ったのは（その通り）この生協だ。」

(10b)　kɯɯ　haaŋ-saalaa　tèe　dael　soophaat　tèŋ
　　　　COP　生協　　　　PTCL　REL　PSN　　　買う

　　　　siəvphəv　bəj　kbaal　pii-msəl-məŋ
　　　　本　　　　3　　CLF　　昨日
　　　　「ソパートが昨日本を3冊買ったのは（他の店ではなく）生協だ。」

　以上のように、文の要素のうち、主語動作主/soophaat/＜ソパート＞、被動作者/siəvphəv/＜本＞、時間付加詞/pii-msəl-məŋ/＜昨日＞、場所付加詞/haaŋ-saalaa/＜生協＞については、小辞/haəj/もしくは/tèe/を後続させることで、焦点化することができた。

例（7-10）に共通する特徴としては、/haəj/を用いる場合には、指示詞が必要であること、また、先行文脈で他者が発言した内容に同意するような場面が想定された。一方、/tèe/を用いる場合には、他者と対比するような場面が想定された。

数量/bəj kbaal/＜３冊＞、及び動作述語/tèɲ/＜買う＞については、焦点を文頭に置く構文で表すことはできなかったが、3.2 で示すように副詞など他の語句を付加する形で強調を表すことは可能であった。

3.2　名詞節が先行する構文と副詞の付加

調査票の各例（7-10）については、名詞節が先行する構文（7c-10c）も可能であった。3.1 の構文との使用場面の違いについては、文体的な差はとくに感じられないという判断であった。一般に名詞節のマーカー/dael/の前の主名詞は省略されることもあるが、この例（7-11）では省略できなかった。

(7c)　　nɛ̀ək　dael　tèɲ　siəvphə̀v　bəj　kbaal　nə̀v　haaŋ-saalaa
　　　　人　　REL　買う　本　　　　３　　CLF　　で　　生協

　　　　pii-msəl-məɲ　　　　kɯɯ　　　soophaat
　　　　昨日　　　　　　　　COP　　　PSN

　　　　「昨日生協で本を３冊買った人はソパートだ。」

(8c)　　ʔə̀vəj　dael　soophaat　tèɲ　nə̀v　haaŋ-saalaa　pii-msəl-məɲ
　　　　何　　REL　PSN　　　　買う　で　　生協　　　　昨日

　　　　kɯɯ　　　siəvphə̀v　bəj　kbaal
　　　　COP　　　本　　　　３　　CLF

　　　　「ソパートが昨日生協で買った物は３冊の本だ。」

(9c)　　tŋaj　dael　soophaat　tèɲ　siəvphə̀v　bəj　kbaal　nə̀v　haaŋ-saalaa
　　　　日　　REL　PSN　　　　買う　本　　　　３　　CLF　　で　　生協

　　　　kɯɯ　　　pii-msəl-məɲ
　　　　COP　　　昨日

　　　　「ソパートが生協で本を３冊買った日は昨日だ。」

(10c)　kɔnlaeŋ　dael　soophaat　tèɲ　siəvphə̀v　bəj　kbaal　pii-msəl-məɲ
　　　　場所　　REL　PSN　　　　買う　本　　　　３　　CLF　　昨日

　　　　　kɯɯ　　　　haaŋ-saalaa

　　　　　COP　　　　生協

　　　　「ソパートが昨日本を3冊買った場所は生協だ。」

　　数量を表す語句/bəj kbaal/＜3冊＞は、3.1の名詞句が先行する構文にはできなかったが、以下の例（11）のように、/cɔmnuon siəvphəv/＜数＋本：本の数＞を主名詞とすることで強調することが可能である。

（11）　cɔmnuon　siəvphəv　dael　soophaat　tèŋ　nəv　haaŋ-saalaa

　　　　数　　　　本　　　　REL　　PSN　　買う　で　生協

　　　　pii-msəl-məŋ　kɯɯ　bəj　kbaal　mὲɛn　rɯɯ

　　　　昨日　　　　　COP　3　　CLF　　本当に　Q

　　　　「ソパートが昨日生協で買った本の数は3冊か。【1冊ではなく】。」

　　動作述語/tèŋ/＜買う＞も3.1の名詞句が先行する構文にすることはできなかったが、例（12）のように述語の前に/pɯt-cὲə/＜確かに＞を、また文末に副詞/mὲɛn/＜本当に＞を置くことで強調できる。

（12）　soophaat　pɯt-cὲə　tèŋ　siəvphəv　bəj　kbaal　nəv　haaŋ-saalaa

　　　　PSN　　　確かに　買う　本　　　3　　CLF　　で　　生協

　　　　pii-msəl-məŋ　mὲɛn

　　　　昨日　　　　　本当に

　　　　「ソパートが昨日生協で確かに本を3冊買ったのだ。【売ったのではなく】」

　　以上の調査の結果、先行文脈に応じて、文の特定の要素を焦点化して強調する構文としては、主語動作主、被動作者、時間付加詞、場所付加詞については、それぞれの名詞句に小辞を後続させた強調構文が可能であった。焦点化のマーカーとなる小辞としては、先行研究で示された/haəj/の他に/tèe/を用いることも可能であった。また、/haəj/を用いる場合には焦点化される名詞句に指示詞を付加する必要があった。このことは、2.1で述べた、Khin（1999:353-354）の指摘の中で、断定を強める用法として挙げられた副詞/ʔɔŋcəŋ/＜そのように＞に/haəj/が後置されて、「（あなたの言う）その通りだ」という相槌として用いられる例と共通すると考えられる。一方、/tèe/を用いる場合には、先

行文脈中で他者との対比が存在する場面であった。

　数量を強調する場合については、焦点となる名詞句が先行する構文による焦点化はできなかったが、4.2 で後述する存在動詞や限定の表現を含む構文で多くの用例が観察された。また、動作述語については、/pɯt-cèə/＜本当に＞を前置するか、文末に/mɛ̀ɛn/を置く、もしくはその2種類を共起させることで強調することができた。

　使用場面に関するコンサルタントの指摘については、先行文脈と出現環境から4で再検討する。

4　出現環境の特徴

4.1　名詞句が先行する構文

　焦点化された名詞句に後続する小辞/haəj/と/tèe/のいずれを用いるかという選択基準は、3.1 の調査では、先行文脈の内容に沿うものか否か、先行文脈中で他者との対比が存在するか、という点であった。以下に示すように、本稿で文学作品から収集した用例についても、先行文脈で言及された内容を確認したり同意する場面（例13-16）では、小辞/haəj/が用いられており、焦点化された名詞句に指示詞が必須である点も、調査の通りであった。一方、文脈中で他者との対比が存在し、かつ先行文脈を否定するような場面（例5, 18）では、肯定文であっても小辞/tèe/が用いられていた。対比するものは小辞より後に出現することもあった。

　（例13-16）は/haəj/を用いる用例であるが、3.1 で述べたように、名詞句に必ず指示詞が付加されるが、名詞が現れず指示詞のみの例もあった。焦点となる名詞句は、先行文脈で言及されていれば、直前の文に含まれる必要はなく、また、全く同じ名詞句である必要もなかった。

　例（13）は、主語動作主が焦点化された例である。先行文脈では、この例文が含まれる章の前章で、長年帰ることができなかった故郷に戻り、車窓から街中のさまざまな建物を見つめているうちに、かつて自らが通った大学の建物を見つけて懐かしい思い出がよみがえった様子が描かれている。その先行文脈では、既に/ʔaakèə mɯoj thom vɛ̀ɛŋ kpɔ̀h lèət sɔnthɯŋ taam bɔndaoj pləv/＜建物＋1＋大きい＋長い＋高い＋広がる＋長く＋沿って＋横に＋道：通りに

沿って長く広がる大きく長く高いある建物＞に言及されている。その後、新章に入ってから、あらためて大学名を示す建物の文字を思いおこし、かつての名前と比べながら思い出をよみがえらせる描写が続いてから、次の例(13)が続く。

(13)

kɯɯ	ʔaakèə	nih	haəj	dael	kɔntrak	ʔaarɔm
COP	建物	DEF	PTCL	REL	つかむ	意識

kɲom	klaŋ	cèəŋ	kèe
1SG	強い	より	他

　　　「最も強く私の心をつかんだのはこの建物だった。」(PNP)

　被動作者が焦点化される例（14）でも、先行文脈で、旅人がある家から流れ出てくる美しい声に耳を傾ける様子が描かれている。その先行文脈で既に/sɔmleeŋ nèərii piʔrɔ̀h-krɔɔʔav/＜声＋女性＋美しい：女性の美しい声＞に言及されている。その後、その家の外観やその家に住む人々の紹介、その日の室内での行動の描写が続いた後で、次の例（14）が続く。

(14)

kɯɯ	sɔmleeŋ	nih	haəj	dael	nèək-dɔmnaə
COP	声	DEF	PTCL	REL	旅人

baan	sdap	lɯɯ
得る	聞く	聞こえる

　　　「旅人が耳にしたのはその声だった。」(PSP)

　例（13-14）では先行文脈に現れた名詞が焦点となっていた。しかし、常に先行文脈中に同じ名詞が現れるとは限らない。場所付加句が焦点化される例（15）では、前章で、主人公の女性が旅をしている現在の状況について描写された後、次の章で、別の地域に暮らすある一族の人々の紹介がされている。その先行文脈中には、例（15）の焦点となる名詞/kruosaa/＜家族＞は現れないが、直前の文に類義の名詞/trɔɔkool/＜一族＞がある。

(15)

kɯɯ	nə̀v	knoŋ	kruosaa	nih	haəj	dael
COP	で	中	家族	DEF	PTCL	REL

sɔmniəŋ	baan	cap	paʔdeʔsɔn
PSN	得る	捕える	誕生

　　　「ソムニアンが生まれたのはこの一家だった。」（JSR）

46

また、小辞/haəj/を用いる用例では、名詞句に必ず指示詞が付加されることを既に述べたが、名詞は必須ではなく、指示詞のみが現れる例もある。主語動作主が焦点化される例（16）はある青年の発話であるが、その直前の文で死が近いと思い込んで本当の気持ちを告白したものの、死なずに生き残ったということが述べられている。こういった先行文の内容全体を指示詞/nih/＜これ＞が表している。

(16)　　　nih　　　haəj　　　dael　　　tvəə-ʔaoj　　kɲom-baat　kriəm-krɔm
　　　　　DEF　　　PTCL　　　REL　　　CAUS　　　1SG　　　　　悲しい

　　　　　knoŋ　　　ʔaoraaa　　traa-tae　　ʔɔh　　　ciivʉt　　　mʉɯn-khaan
　　　　　中　　　　胸　　　　まで　　　尽きる　　命　　　　　必ず
　　　　「私を一生悲しませるのは、まさにこのことなのだ。」（KLP）

　一方、先行文脈の内容を否定する文では、小辞/tèe/が用いられる。被動作者が焦点化される例（17）では、長い間食糧が乏しく空腹が続き/baaj/＜ご飯＞が食べたかったという先行文脈がある。しかし、この例（17）の場面では、ご飯は余って捨てるほどだったため、その時必要としていたのは/baaj/＜ご飯＞ではなくて睡眠だったと、欲求の対象を対比して述べている。先行文脈には、対比される名詞句は現れていないが、この例文の後に/deek/＜眠る（こと）＞に飢えていたという文が続いており、対比するものを示している。

(17)　　　mʉɯn-mɛɛn　baaj　tèe　dael　jə̀ə̀ŋ　klèan　pèel　nuh
　　　　　NEG　　　　飯　　PTCL　REL　1PL　飢える　時　DEF
　　　　「当時我々が渇望していたのは食べ物ではなかった」（NRK）

　さらに、肯定文であっても、先行文脈の内容を否定するような場合には、小辞/tèe/が用いられる。主語動作者が焦点化される例（5）は、先行文脈で、健康で体力もあった弟の死を深く嘆いている。それに対して、虚弱体質で死を予想していたのは弟ではなく/kɲom/＜自分＞の方だったと対比して述べていることから、肯定文であっても小辞の/tèe/が用いられている。

(5 再掲)　kɲom　　　tèe　　　　dael　　　ksaoj
　　　　　1SG　　　PTCL　　　REL　　　弱い
　　　　「虚弱なのは私だった。」（NRK）

また、主語動作者が焦点化される例（18）は、先行文脈で、極端な水不足の村に給水車が現れたため、人々が水を争い始め、それをとめようと兵士が威嚇射撃をした場面が描写されている。しかし、この場面で人々を動かしたのは銃声ではなく/sɔnthuuk tuuk/＜水音＞だった、と対比して述べている。先行文脈には対比される名詞句は現れていないが、銃声の擬音語/paŋ-paŋ-paŋ/があり、この例（18）の水音の擬音語/khòk-khòk-khòk/と対比されている。また、この例（18）の後に、/snoo kam-plɛ̀əŋ/＜音＋銃：銃声＞は意味を持たなかった、という文が続き、対比されるものを示している。

(18) 　　sɔnthuuk　tuuk　hoo　tlɛ̀ək　cool　thòŋ　nɛɛn　khòk-khòk-khòk
　　　　音　　　水　　流れる　落ちる　入る　バケツ　響く　ジャー

　　　　ʔae　nɔh　tèe　dael　kɔmpòŋ　ʔooh　tèəŋ　kɔntrak　ʔaarɔm　jèeŋ
　　　　方　DEF　PTCL　REL　PROG　　　つかむ　引く　つかむ　意識　1PL

　　　　「私たちの心をつかんで放さない音は、あっちであふれる水がバケツにジャージャーと鳴り響きながら流れ落ちる水音だった。」（NRK）

4.2　存在動詞と限定の表現を含む文

　数量を示す語句の焦点化について、3.1 では、名詞句が先行する構文にはできないことを述べたが、以下の例（19）のように、存在動詞/mèən/を含む文の形で、数量/pram nɛ̀ək/＜5人＞を強調することができる。このような存在文では、数量を表す語句に指示詞をつける必要はない。

(19) 　　mèən　pram　nɛ̀ək　haəj　dael　baan　slap
　　　　ある　　5　　　CLF　　PTCL　REL　得る　死ぬ
　　　　「死んだのは5人だった。」（NRK）

　文学作品から収集した用例のうち、/tèe dael/の連続を含む文は、大部分が存在動詞/mèən/に限定を表す/tae/＜だけ＞が後続する文であった。最も語数の多い資料である『地獄の一三六六日』（NRK）を例に挙げると、/tèe dael/の連続を含む 35 例のうち、存在動詞/mèən/に限定を表す/tae/＜だけ＞が後続する例が 27 例を占めた。以下の例（20）もその一つであるが、特権的な階級であった/krom-seetthaakɔc/＜経済班＞と、食料もなく地べたで寝ていた、自

らを含む一般人民と対比している。

(20) mèən tae krom-seetthaakɔc tèe dael baan deek
　　　ある　だけ　PSN　　　　　　PTCL REL　得る　寝る
　　　nə̀v knoŋ rɔ̀oŋ
　　　で　中　テント
　　　「テントの中に泊まれるのは経済班だけだった。」（NRK）

　また、存在動詞/mèən/を含まない文であっても、例（21）のように、否定
辞の後に限定を表す/tae/＜だけ＞が現れる用例も少なくなかった。例（21）
では、先行文脈で、幼い姪の/ʔaa-lin/＜リンちゃん＞が病気で死んだことを述
べている。その後で、自分が入院して不在だった1か月の間に、5歳の姪ソ
ポルと伯父の2名も亡くなっていたことを、/ʔaa-lin/＜リンちゃん＞と対比
させて述べている。

(21) mɯn mɛ̀ɛn tae ʔaa-lin tèe dael slap
　　　NEG　　だけ　PSN　　PTCL　REL　死ぬ
　　　「死んだのはリンだけではなかった。」（NRK）

4.3　時間付加詞を含む文

　時間付加詞が焦点化される例（22）では、先行文脈で、毎朝、一団の人々
が到着すると住居にしていたテントを片付ける様子が描かれている。その動
作を行う/pèel nuh/＜その時＞を焦点としており、指示詞/nuh/＜それ＞が付
加されるのも記述の通りである。

(22) pèel nuh haəj dael kɲom kraok ʔɔŋkòj
　　　時　　DEF　PTCL　REL　1S　　起きる　座る
　　　「私が起き上がったのはその時だった。」（NRK）

　しかし、外形的には、例（22）と同じく時間付加詞が文頭にあり/haəj/が後
続していても、その/haəj/が「一定の期間が過ぎた」という完了の意味を表す
こともある。以下の例（23-24）のように、文頭に時の経過を表す名詞句が現
れる例文は、段落の冒頭に現れていた。また、先行文脈として、その直前の

段落で、/dael/で始まる名詞節の内容が述べられていた。

　例（23）の文頭の時間付加詞/cɯt muoj ʔaatɯt/＜1週間近く＞は、既に経過した期間を表しており、仮に文末に位置したとしても/haəj/が必要とされる。例（23）は、先行文脈として、前の段落で、病気になった母の容体がどんどんひどくなり、弱っていき、薬もなく付き添っている様子が描かれている。それに続く段落の冒頭の文が例（23）である。

(23)　　cɯt　　muoj　　ʔaatɯt　　haəj　　dael　　mae　　mèən　　kaa　　lòmbaak
　　　　近い　　1　　　CLF　　　PRF　　REL　　母　　ある　　NOM　難しい

　　　　knoŋ　　kaa　　kraok　　bɔt-cə̀əŋ　　　daoj-kluon-ʔaeŋ
　　　　中　　　NOM　起きる　排泄する　　　自分で

　　　　「母が自分で起き上がった用を足すことが難しくなって1週間がたとうとしていた。」(NRK)

　同じく、例（24）でも、文頭の時間付加詞/pram-pii khae/＜7か月＞は、既に経過した期間を表しており、仮に文末に位置したとしても/haəj/が必要とされる。先行文脈として、この例文の前の段落で、食糧としてわずかな米しか配給されず、川で魚を探してもほとんど見つからず、野菜を植えることもできず木の葉や蔦を採取して飢えをしのいでいた様子が描写されている。その次の段落の冒頭の文が例（24）である。

(24)　　pram-pii　khae　haəj　　dael　　bɔɔŋ-pʔoon　　kɲom
　　　　7　　　　 CLF　　PRF　　REL　　親族　　　　　1S

　　　　pòm　　baan　　skɔəl　　cèət　　sac　　rɯɯ　　klaŋ　　sɔh
　　　　NEG　　得る　　知る　　味　　肉　　Q　　　脂　　　PTCL

　　　　「魚や肉や油脂を口にすることなくもう7か月がたった。」(NRK)

4.4　強調構文の頻度

　本稿では、主に現代文学作品中から3.1で示したような強調構文の用例を収集した。全体的な傾向としては、この構文の用例数は多いとは言えず、中編小説1編につき数例しか現れなかったり、1960年代以前の作品では全く現れないこともあった。その一方で、3.1の「分裂文に関する共通調査確認項目」（峰岸2019b）の例文は、コンサルタントによって不自然な文とは判断さ

50

れなかった。4.2 で挙げた用例の多くは、会話や独白の場面で用いられることが多く、また、ウェブサイトで収集した例も個人的な SNS での用例が大部分であった。これらのことから、3.1 で示した名詞句を焦点として文頭に置く強調構文は、口語的に用いられることが多いとも考えられる。

　一方、3.2 で示した、名詞節を主語とする構文について、コンサルタントの判断では、3.1 の構文との文体的な差は感じられなかった。しかし、次の例（25）のように、3.1 の構文に置き換えることはできないという判断がなされた例もある。

　例（25）では、先行文脈として、この父親は、内戦後の革命で政治体制が変わったら、かつてのように平和な社会になると思っていたことが述べられている。ところが、雷雨に例えられる内戦が終わった静けさに続いて父が遭遇したのは、/tuk-còmnɔ̀n/〈洪水〉に例えられる革命下の食糧難と粛清の苦難だったことが強調されている。

(25)　ʔəvəj　dael　pòk　baan　cuop　bɔntɔəp　pii　kaa　　snɔp-snat
　　　 何　　 REL　父　　得る　会う　後に　　 から　NOM 静かな

　　　 pliəŋ　pkɔ̀ɔ-rɔ̀ntɛ̀əh　nuh　kɯɯ　tuk-còmnɔ̀n
　　　 雨　　雷　　　　　　 DEL　COP　洪水

　　　　「しかし、雷雨の後の静けさに続いて父が遭遇したのは、洪水だった。」(NRK)

　従って、名詞節を主語とする構文と 3.1 の強調構文との間に何らかの文体差があることも考えられ、この点についてはさらなる検討が必要である。

5　おわりに

　以上、クメール語の分裂文の特徴を分析した結果、以下の点が明らかになった。

1) 先行文脈に応じて、文の特定の要素を焦点化する構文としては、英語の It ～ that～のように焦点が文頭に位置する強調構文に加え、日本語の「～は、～だ」のように焦点が文末に位置するコピュラ文もあった。その他に、存在動詞を用いて数量を強調したり、副詞を用いて動作述語を強調する文があった。

51

2）焦点が文頭に位置する文については、文の要素のうち、主語動作主、被動作者、時間付加詞、場所付加詞について、焦点化が可能であった。焦点となる名詞句に付加されるマーカーは、一般に文末に用いられる小辞であった。調査に用いた2語の小辞のうち、/haəj/は先行文脈への同意を表す場面で、一方/tèe/は何らかの対比されるものがあり、先行文脈の内容への不同意を表す場面で用いられた。また、/haəj/を用いる場合には焦点化される名詞句に指示詞を付加する必要があった。

3）本稿で調査した強調構文について、コンサルタントからは、不自然さや文体的な差は感じられないという判断を得た。その一方で、文学作品から収集した用例中では、この構文の頻度は高いとは言えず、ウェブサイトから収集した用例も個人的な SNS での用例が大部分であったため、口語的な表現とも考えられる。また、小説中の会話文で、/haəj/が用いられる文脈で別の小辞/ʔaeŋ/が現れる用例もあったことから、文末小辞によって文体の差が生じるのかも含め、文体の調査については今後の課題としたい。

用例出典

JSR : Lyk, Rari 1967 Jati Sri. Phnom Penh: R.B. Cambodia.

KLP : Nhok, Them 1960 Kulap Pailin. Phnom Penh: R.B. Rasmi.

NRK : Om, Sambatti. 2006 Muoj Ban Bi Ray Huksip Pram Muoy Thnai Knun Narok. Phnom Penh: Angkor.（邦訳　オム・ソンバット 2007『地獄の一三六六日』大同生命国際文化基金）

PNP: Sym, Chanya 2003 Pkay Nav Tae Ploe.

PSP : Nu, Hac 1960 Phka Srabon. Phnom Penh: R.B. Rasmi.

参考文献

Haiman, John. 2011. *Cambodian Khmer*. John Benjamins.

Khin, Sok. 1999. *La grammaire du khmer moderne*. Éditions You-Feng.

峰岸真琴. 2019a. 「タイ語の情報構造に関わる諸表現」,『慶應義塾大学言語文化研究所紀要』50, 189-204.

峰岸真琴. 2019b 「情報構造調査票 Ver.1」（未公刊）

坂本恭章.1988.「クメール語」,『言語学大辞典第 1 巻世界言語編（上）』, 亀井
　　孝, 河野六郎, 千野栄一編, 三省堂, 1479-1505.

上田広美.2011. 「クメール語の時を表す語句の位置」,『コーパスに基づく言
　　語学教育研究報告 7　フィールド調査、言語コーパス、言語情報学』III,
　　東京外国語大学, 245-258.

上田広美. 2020. 「クメール語の情報構造」,『東京外大東南アジア学』No.26,
　　東京外国語大学東南アジア課程, 84-96.

インドネシア語における焦点化の手段：
日本語の分裂文との対照

Some Strategies of Focusing in Indonesian:
A Contrastive Research with Cleft Sentences in Japanese

降幡　正志（東京外国語大学）

Masashi FURIHATA (Tokyo University of Foreign Studies)

要　旨

　本稿は、日本語で分裂文の形で表すことのできる焦点化がインド
ネシア語ではどのような表現の手段をとるかについて論じる。どの
ような要素であっても、イントネーションが焦点化にとって重要な
役割を担う。付加詞は比較的自由に文中の位置を占めるが、主語あ
るいは他動詞の目的語など文法構造に直接関わる要素は、文中で他
の位置を占める際には yang を用いた統語的な操作が必要になる。
数量詞に関しては日本語ほど自由に焦点化されない。

キーワード：インドネシア語，焦点化，情報構造，主題と題述

1　はじめに

　本稿は、いわゆる焦点化がインドネシア語ではどのように表現されるかを、
日本語の分裂文と対照させることにより論じることを目的とする。

　ある１文と同じ事実関係を述べる際に、その中のある要素を特に取り上げ
て話し相手に伝えることがよくある。日本語では、その１つの手段として分
裂文がある。本稿では、予め用意された日本語の分裂文[1]を筆者がインドネシ
ア語に訳し、どのような手段で日本語の分裂文と同じような効果をもたらし
ているか説明を加えていく[2]。

---

[1] 峰岸(2021)。本稿 2.1 を参照。
[2] 本稿の執筆にあたって、コンサルタントとして Himawan Pratama 氏（東京外国語大
学大学院博士後期課程）に筆者の訳したインドネシア語文のチェックを依頼した。同

2　本稿におけるいくつかの前提

2.1　対象となる日本語文

本稿では、峰岸(2021) に従い、以下の 8 文に対しインドネシア語との対照を行なう。

(1) イチローがきのう生協で本を 3 冊買った。

(2) きのう生協で本を 3 冊買ったのはイチローだ。

(3) イチローが生協で本を 3 冊買ったのはきのうだ。

(4) イチローがきのう本を 3 冊買ったのは生協だ。

(5) イチローがきのう生協で確かに本を 3 冊買ったのだ。

(6) イチローがきのう生協で買ったのは 3 冊の本だ。

(7) イチローがきのう生協で本を 3 冊買ったのか。【1 冊ではなく】。

(8) イチローがきのう生協で確かに本を 3 冊買ったのだ。【売ったのではなく】

(1) は無標の平叙文、(2) は主語動作主の焦点化、(3) は時間付加詞の焦点化、(4) は場所付加詞の焦点化、(5) は動作述語の焦点化、(6) は被動作者の焦点化、(7) は数量の焦点化、(8) は動作述語の焦点化で他の動作との明確な対照、となる[3]。

2.2　Halim(1974) のイントネーション論

インドネシア語の焦点化について論じるにあたっては、Halim(1974) のイントネーション論が極めて有効であると筆者は考えている。これまでに筆者は、インドネシア語の文構造を論じる際にたびたび Halim(1974) の論を用い

氏にこの場を借りて感謝の意を表する次第である。なお、本稿における記述は、すべて筆者の責に帰するものである。

[3] 本稿では、「焦点化」は基本的に、文中の特定の要素を取り上げて聞き手に最も伝えたい部分とすることを意図する。その意味では、主題－題述という情報構造の題述にほぼ重なる。

てきた（降幡 2005, 2014, 2016, 2020; Furihata 2006, 2016b, 2018）[4]。

　Halim(1974) は、インドネシア語の文構造に対し、ピッチの音響分析を踏まえた上でさまざまな統語論的検討を行い、4 種のピッチパターンが模式的に文法カテゴリーに関連すると論じた。その 4 種のピッチパターンとは以下の通りである。

     a) 焦点化された主題（focalized topic）　　　　　　233r
     b) 焦点化されない主題（unfocalized topic）　　　211f
     c) 無標の題述（unmarked comment）　　　　　　231f
     d) 有標の題述（marked comment）　　　　　　　232f

　各パターンに見られる数字はピッチの高さを表し 3 が最高、1 が最低の音調で, 冒頭の 2 はニュートラルな音高と捉える。また r は句末の上昇（rising）, f は下降（falling）を表す。

　文法構造的に主語と述語とからのみ成り立つ文は、情報構造の観点からはそれぞれが主題(topic) と題述(comment) に対応するといえる。主語－述語という無標の平叙文の語順では《焦点化された主題》－《無標の題述》となり、いわゆる倒置すなわち述語－主語の語順では《有標の題述》－《焦点化されない主題》となる[5]。なお、主語・述語といった文法構造の枠組み外の要素（付加詞など）も文中では主題や題述として実現し、Halim のピッチパターンをとりうる。

　Halim のイントネーション論は、模式的であり、いわば抽象的な概念である。イントネーションはさまざまな要因が絡んで複雑なパターンで実現することもあり、単に同論を当てはめて説明するだけとはいかないことも多々ある。とはいえ、以下に具体的な文例を見る上でも、同論は非常に重要な観点をもたらすものである。

---

[4] Halim のイントネーション論に関する説明は、降幡(2020) を部分的に参照している。
[5] 本稿では、Halim の 4 種のピッチパターンについて述べる際には便宜上《 》内に記すこととする。これは、本稿で用いる「焦点化」と、Halim の用いた「焦点化された（されない）主題」との混乱を避けるためでもある。

3 インドネシア語における焦点化の手段

3.1 無標の平叙文

　文中の要素のいずれかを焦点化することなく「イチローがきのう生協で本を3冊買った」と述べる文は、以下のとおりとなる。

[01a]　Ichiro　　membeli　tiga　(buah) buku　　di　koperasi　　kemarin.
　　　　2- 33r 　/ 2-　　　　　　　32f / 2-　 11f 　/ 2-　 11f
　　　　NAME　　*MEN*-buy　three　CLF　　book　　at　co-op　　　　yesterday
　　　　　　　　　「イチローがきのう生協で本を3冊買った」

　[01a] はフォーマルな文体である[6]。無標の平叙文では基本的に、文法構造上の主語と述語が情報構造上の主題と題述にそれぞれ重なる。主語（Ichiro「イチローは」）は《焦点化された主題》として実現し、それに対応して述語の他動詞句（membeli tiga (buah) buku「3冊の本を買った」）が《無標の題述》となる[7]。付加詞（di koperasi「生協で」、kemarın「昨日」）は、《焦点化されない主題》として続いている。なおフォーマルな文体では、他動詞で対応する主語が動作主である場合に接頭辞 *meN-* を用いる。

[01b]　Ichiro　　beli　tiga　　buku　　　di　koperasi　　kemarin.
　　　　2- 33r 　/ 2-　　　　　32f / 2-　 11f 　/ 2-　 11f
　　　　NAME　　buy　three　book　　　at　co-op　　　　yesterday
　　　　　　　　　「イチローがきのう生協で本を3冊買った」

　[01b] は口語的な文である。フォーマルな文体では「買う」は接頭辞 *meN-*

---

[6] 標準的あるいは規範的とされる、いわゆる書き言葉の文体を、本稿では「フォーマルな文体」としておく。

[7] buah は物に対する一般的な助数詞であるが、義務的ではなく、フォーマルな文体において用いられることも用いられないこともある。口語体では [01b] のように助数詞を用いることがさらに少なくなる。

を伴って membeli となるが、口語体では接頭辞を伴わず beli となる。

3.2 主語動作主の焦点化

　文法構造上の主語は、情報構造上の題述となることがかなり厳格に避けられる。そのため、日本語文の「きのう生協で本を 3 冊買ったのはイチローだ」のように「きのう生協で本を 3 冊買ったの（人）」を主語とし、焦点化の対象となる「イチロー」を述語とするという文法的な対応が必要となる。

[02a] Yang membeli tiga (buah) buku di koperasi kemarin

2- 　　　　　　　　　　　　　　　　33r 　　/

NMLZ *MEN*-buy three CLF 　book at co-op 　yesterday

(adalah) **Ichiro**.

2- 31f

COP 　　　NAME

　　　　　　　　　　「きのう生協で本を 3 冊買ったのはイチローだ。」

　[02a] では、いわゆる関係代名詞 yang を用いて作られた「きのう生協で本を 3 冊買ったの（人）」という名詞相当句が主語となり[8]、情報構造上では《焦点化された主題》となっている。その後に述語でありかつ題述の Ichiro が続く。フォーマルな文体では、コピュラの adalah を用いることが多いが、必ずしも必須の要素ではない。

[02b] **Ichiro** 　　yang membeli tiga (buah) buku di koperasi kemarin.

2- 32r 　/ 2- 　　　　　　　　　　　　　　　　　　　　　11f

NAME 　　NMLZ *MEN*-buy three CLF 　book at co-op 　yesterday

　　　　　　　　「イチローだ、きのう生協で本を 3 冊買ったのは。」

---

[8] *yang* はモノやヒト、コトの代理となる「〜の」に相当する機能辞である。一般に関係代名詞として説明されることが多いが、本稿では nominalizer としておく。

[02b] では、[02a] の主語と述語の語順が入れ替わっている。その際、先に現れる述語が、情報構造的には《有標の題述》のピッチパターンを取り焦点化される。

[02c] **Ichirolah**   yang membeli tiga buah buku di koperasi kemarin.
　　　 2- 32r   / 2-   11f
　　　 NAME-PTCL   NMLZ *MEN*-buy three CLF   book at co-op   yesterday
「イチローだ、きのう生協で本を 3 冊買ったのは。」

[02c] は、題述 Ichiro にさらに小辞 *-lah* を付している例である。*-lah* は題述であることを明示するためにしばしば用いられる小辞である（Furihata 2016a）。

3.3　時間付加詞の焦点化

付加詞は、焦点化の際に文法的な制約は特になく、文頭や文中、文末のいずれにも用いられうる。

[03a] Ichiro membeli tiga buah buku di koperasi **kemarin**.
　　　 2-   33r   / 2- 31f
　　　 NAME *MEN*-buy three CLF   book at co-op   yesterday
　　　　　　　　　　「イチローが生協で本を 3 冊買ったのはきのうだ」

[03a] では、「イチローが生協で本を 3 冊買ったのは」に相当する部分が句ユニット[9]となり主題を構成し、それに続いて時間付加詞 kemarin「昨日」が《無標の題述》として述べられている。

---

[9] 1 語もしくは複数の語からなり、発話の際にその内部で区切れないひとまとまりの要素を、本稿では「句ユニット」としておく。なお Halim(1974) はこれと同等のものを pause group と呼んでいる。

[03b]	**Kemarin**	Ichiro	membeli	tiga	(buah)	buku	di	koperasi.
	2- 32f	/ 2-						11f
	yesterday	NAME	*MEN*-buy	three	CLF	book	at	co-op

「きのうだ、イチローが生協で本を 3 冊買ったのは」

　[03b] は、時間付加詞 kemarin「昨日」が《有標の題述》として文頭で述べられ、「イチローが生協で本を 3 冊買ったのは」が《焦点化されない主題》として後続している[10]。
　なお、kemarin を文頭に述べて「昨日は、(……)」のように主題としてふるまうこともある。その場合は《焦点化された主題》のピッチパターンをとる。

3.4 場所付加詞の焦点化
　場所付加詞も、上述の時間付加詞と同様に文法的な制約は特にない。

[04a]	Ichiro	membeli	tiga	(buah)	buku	kemarin	**di**	**koperasi.**
	2-					33r	/ 2-	31f
	NAME	*MEN*-buy	three	CLF	book	yesterday	at	co-op

「イチローがきのう本を 3 冊買ったのは生協だ」

　[04a] は、「イチローがきのう本を 3 冊買ったのは」に相当する部分がひとまとまりとなって句ユニットを構成し《焦点化された主題》として述べられ、場所を示す付加詞 di koperasi 「生協で」が《無標の題述》としてその後に続いている[11]。

---

[10] kemarinlah のように、[02c] に見られる小辞 *-lah* を付すこともありうるが、コンサルタントによれば、この場合はやや不自然であるとのことであった。他の時間付加詞では *-lah* を伴うこともあるため、*-lah* 付加の可否は語句それぞれの相性あるいは文脈などによるところが大きいのではないかと思われる。どのような場合に *-lah* が用いられにくいかは今後の課題としたい。
[11] 日本語では「生協だ」だけで文が成立するが、インドネシア語では前置詞 di「～で」を省くことはできず、di koperasi「生協でだ」となる。

[04b] Ichiro membeli tiga (buah) buku **di koperasi** kemarin.
2-   33r / 2-   32f   / 2- 11f
NAME *MEN*-buy three CLF book   at co-op   yesterday
　　「イチローが本を3冊買ったのは生協だ、きのうのことだが」

　[04b] は [04a] の kemarin「昨日」と di koperasi「生協で」の語順が入れ替
わっている例である。焦点化された要素の後にさらに他の要素を続けること
も可能で、その場合は《焦点化されない主題》のピッチパターンとなる。ち
なみに、[04a] の語順で kemarin「昨日」を焦点化することも可能であり、そ
の場合は *kemarin* が題述のピッチパターンで述べられる。

[04c] **Di koperasi**   Ichiro membeli tiga (buah) buku kemarin.
2   -32f   / 2-   11f
at   co-op   NAME *MEN*-buy three CLF   book yesterday
　　　　「生協だ、イチローがきのう本を3冊買ったのは」

　[04c] は di koperasi「生協で」が《有標の題述》として文頭で述べられてい
る例である。その後に「イチローがきのう本を3冊買ったのは」が《焦点化
されない主題》として続いている。

[04d] **Di koperasilah**   Ichiro membeli tiga buah buku kemarin.
2-   32f   / 2-   11f
at   co-op-PTCL   NAME *MEN*-buy three CLF   book yesterday
　　　　「生協だ、イチローがきのう本を3冊買ったのは」

　[04d] は、題述 di koperasi に対して小辞 *-lah* がさらに付されている例で
ある（[02c] 参照）。

3.5　動作述語の焦点化
　[01a] は語順およびイントネーション型により動作述語（「本を3冊買った」）

が題述となっているため、この文は動作述語が焦点化されているとも言える。ただし、他の行為（「本を3冊買った」のではなく）との対比を表すために、動作述語の部分がさらに際立たせられることもある。無標の平叙文のイントネーション型に比べどのような要因がその要素を際立たせるのに用いられるのかは、今後の課題としたい。

名詞述語文や、自動詞や形容詞を述語とする文では、いわゆる倒置（述語－主語）の語順がよく用いられる。その場合《有標の題述》－《焦点化されない主題》のピッチパターンを取ることになる。他動詞文でも同じく述語－主語の語順となることもある。

[05a] Memang **membeli** **tiga** **(buah)** **buku,**
　　　 2- 33r　　 / 2-　　　　　　　　　　　 32f　　 /
　　　 surely　　 *MEN*-buy　 three　 CLF　　 book

　　　 si　　 Ichiro　 (itu),　　 di　 koperasi　 kemarin.
　　　 2-　　 11f　　　 / 2-　　 11f　　 / 2-　 11f
　　　 PTCL　 NAME　 that　　 at　 co-op　　 yesterday
　　　　　　　　　　「確かに本を3冊買ったよ、イチローは、きのう生協で」

[05a] では、主語である動作主が si Ichiro itu となっている。*si* は特定の人物であることを明示したり擬人化したりする場合に用いられる小辞である。一方 itu は指示代名詞「それ、あれ」にあたる。これらを用いることにより、すでに「イチロー」が文脈上にあることがより明確化される。Ichiro だけでも不可能ではないが、コンサルタントによると、si や itu を伴ったほうがより自然に感じるとのことであった。

[05b] Memang **beli** **tiga** **buku,**　 si　　 Ichiro　 (itu),
　　　 2- 33r　　 / 2-　　　　 32f　 / 2-　　 2-11f　　　　　 /
　　　 surely　　 buy　 three　 book　 PTCL　 NAME　 that

di koperasi kemarin.

2-　　　11f　　　/ 2-　　　11f

at　co-op　　　yesterday

　　　　　「確かに本を 3 冊買ったよ、イチローは、きのう生協で」

　[05b] は口語的な表現である。口語体では、述語－主語の語順（倒置）がより頻繁に用いられる。

3.6　被動作者の焦点化

　他動詞の被動作者（いわゆる能動文における目的語）に対する焦点化は、平叙文の語順で被動作者の要素に題述のピッチパターンを用いる方法がまず考えられる。一方、分裂文の形式で述べる場合には、文法的な操作が必要となる。

[06a] Ichiro membeli **tiga (buah)buku** di koperasi kemarin.

　　　2-　　　33r　　/ 2-　　　　　32f　/ 2-　　11f　/ 2-　11f

　　　NAME *MEN*-buy three CLF book at co-op yesterday

　　　　　「イチローがきのう生協で、本を 3 冊買った」

　[06a] では、tiga (buah) buku「3 冊の本」が題述のピッチパターンとなっている。

[06b] Yang dibeli Ichiro di koperasi kemarin

　　　2-　　　　　　　　　　　　　33r　/

　　　NMLZ *DI*-buy NAME at co-op yesterday

　　　(adalah) **tiga (buah) buku.**

　　　　　2-　　　　　　31f

　　　COP three CLF book

　　　　　「イチローがきのう生協で買ったのは 3 冊の本だ」

[06a] のような文に対し被動作者のみを取り上げて分裂文とすることは不可能である。能動他動詞（接頭辞 *meN-* を伴う他動詞）とその目的語の文法的関係から切り離すことができないためである。しかし、被動作者が主語となる文であれば、3.2 のように分裂文の形式で被動作者を取り上げて焦点化することが可能になる。

[06b] では動詞「買う」に接頭辞 *di-* が付されている。接頭辞 *di-* を伴う他動詞の形態は、主語が動作対象（被動作者）である場合に対応して用いられる。このような形態の使い分けにより、動作対象（被動作者）が主語となっても「主語－述語」という文法構造の枠組みを揃えることができ、また情報構造上の「主題－題述」として実現する[12]。その上で、3.2 で述べたように機能辞 yang を伴って「イチローがきのう生協で買ったのは」というフレーズを作ることになる。

[06c] **Tiga (buah) buku** yang dibeli Ichiro di koperasi kemarin.

	2-		32f	/ 2-				11f
three	CLF	book	NMLZ	*DI*-buy	NAME	at	co-op	yesterday

「3 冊の本だ、イチローがきのう生協で買ったのは」

[06d] **Tiga (buah) bukulah** yang dibeli Ichiro di koperasi kemarin.

	2-		32f	/ 2-					11f
three	CLF	book-PTCL	NMLZ	*DI*-buy	NAME	at	co-op		yesterday

「3 冊の本だ、イチローがきのう生協で買ったのは」

[06c] と [06d] はいずれも「3 冊の本」を《有標の題述》として文頭で述べている文である。このうち [06d] は小辞 *-lah* を伴っている。[06c] に関して

---

[12] 被動作者を主語とした平叙文は *Tiga buah buku itu dibeli Ichiro di koperasi kemarin.*「その 3 冊の本はイチローが生協できのう買った」となる。この文では動詞 dibeli に動作主が直接続いているが、動作主であることを明示する前置詞（フォーマルな文体では oleh、口語体では sama）を伴って oleh Ichiro / sama Ichiro とも言うことができる。

65

は、文字情報だけでは yang フレーズが名詞を修飾して「イチローがきのう
生協で買った 3 冊の本」の意となる可能性がある。そのため、「3 冊の本」が
題述であることを明確にする文脈あるいはイントネーション型の想起の手段
も必要となってくる。一方 [06d] のように *-lah* を用いれば、その付加して
いる要素（ここでは tiga (buah) buku）が題述であることは明らかである。

3.7　数量の焦点化

　フォーマルな文体では、数量詞を対象の名詞と分離して述べることは難し
い。

[07a]	Ichiro	membeli	buku	**sebanyak**	**tiga**	**buah**
	2-		33r	/ 2-		32f　/
	NAME	*MEN*-buy	book	as.many.as	three	CLF

	di	koperasi	kemarin?		
	2-	11f	/ ?-	11f	
	at	co-op	yesterday		

　　　　　　　　　　　　「イチローがきのう生協で本を買ったのは 3 冊か」

　[07a] では、数量詞単独ではなく、sebanyak「～ほどの多さ（の）」を介在す
ることにより、対象の名詞と分離することが可能となる。ただしコンサルタ
ントは、事前に文脈があり「イチローが本を買った」という情報が共有でき
ている必要があることをかなり明確に述べていた。また、コンサルタントの
回答として、sebanyak tiga buah を《有標の題述》として文頭で述べるのは不
自然であるとのことだった。

[07b]	Ichiro	membeli	**tiga**		di	koperasi	kemarin?
	2-	33r	/ 2- 32f	/ 2-		11f	/ 2- 11f
	NAME	*MEN*-buy	three		at	co-op	yesterday

　　　　　　　　　　「イチローがきのう生協で 3（冊）買ったのか」

[07c] **Tiga**　　yang　dibeli　Ichiro　　di　koperasi　　kemarin?
　　　　2- 32f　/ 2-　　　　11f　/ 2-　　11f　/ 2-　11f
　　　　three　NMLZ　*DI*-buy　NAME　at　co-op　　yesterday
　　　　　　　　　　　　「3（冊）か、イチローがきのう生協で買ったのは」

　やや口語的ではあるが、文脈から何を買ったかが明らかであれば、[07b] のように数量詞のみを被動作者として述べることができる。また口語体では、[07c] のように数詞のみを題述として述べる文も可能である[13]。

[07d] Ichiro　membeli　buku,　**tiga**,　　di　koperasi　　kemarin?
　　　　2-　　　　33r　/ 2- 32f　/ 2-　11f　/ 2-　11f
　　　　NAME　*MEN*-buy　book　three　　at　co-op　　yesterday
　　　　　　　　　　「イチローがきのう生協で本を3冊買ったのか」

　口語的になると、[07d] のように名詞の後に数量詞を題述として続けることがある。一方、[07d] のうち tiga のみを文頭で述べるのはやや不自然である。

3.8　動作述語の焦点化（動作の対照）

　「（売ったのではなく）買った」のように他の動作と対照させることも、membeli「買う」を題述のピッチパターンで述べることで可能になる。

[08a] Ichiro　**membeli**　tiga　(buah)　buku　　di　koperasi
　　　　2- 33r　/ 2-　32f　/ 2-　　　11f　/ 2-　11f　　/
　　　　NAME　*MEN*-buy　three　CLF　book　at　co-op

---

[13] banyak「たくさん」や sedikit「少し」は、フォーマルな文体でも [07c] の tiga の位置で用いることが可能である。おそらくこれらの語は「存在する」（「たくさんある／いる」「少しある／いる」）の意味を含む使われ方もするためではないかと考えられる。

kemarin,	bukan	menjual.
2-11f	/ 2-	31f
yesterday	NEG	*MEN*-sell

[08a] では、membeli が題述のピッチパターンを取っており、かつ文末で bukan menjual「売ったのではなく」を付け加えている[14]。「売ったのではない」ことが文脈上明らかであれば、bukan menjual を述べなくても、membeli の焦点化が成立する。

　対照を意図している場合、3.1 で述べたような無標の平叙文とは異なる際立たせ方をすることが考えられる。この点については今後の課題としたい。

4　おわりに

　本稿では、日本語で分裂文として焦点化される表現がインドネシア語ではどのように言い表されるかを述べてきた。

　統語的な制約として、主語および他動詞のいわゆる目的語（被動作者）はそのまま焦点化することができず、それらの要素は文法的に述詞として対応させるという統語的操作が必要である（3.2 および3.6）。

　付加詞は比較的柔軟に焦点化させることが可能であり、文中における位置も固定されることなく文頭や文末（あるいは文中）に置くことが可能である（3.3 および3.4）。

　数量詞については、対応する名詞句と分離させて焦点化することは、フォーマルな文体では難しく、sebanyak「〜ほどの多さ（の）」といった語を前置詞的に用いた句にする必要がある。口語体ではそのような制限がゆるくなり、数量詞を単独で焦点化させることも可能である（3.7）。

　これらのいずれも、言うまでもなく事前の文脈が必要であり、また Halim

---

[14] 否定詞 bukan は、名詞述語文の否定に用いられることが1つの重要な機能であるが、他者との対比の際には、名詞以外の語句を否定するという用法もある。野元・マスニン(2018:192) はマレー語の bukan について「否定される要素が焦点である、つまり代替要素との対比を伴う場合、述語の統語範疇にかかわらず、非提示には常に bukan が用いられる」と述べている。

のイントネーション論のうち題述のピッチパターンを伴うなど、韻律的な情報も軽視するわけにはいかないであろう。

　無標の平叙文における述語およびその支配する語句も、情報構造の観点からは題述となり、Halim の論では《無標の題述》のピッチパターンをとる。しかし、特に他のことがらと対照させる場合、単に題述として実現するだけでなく、さらなる際立たせの方法が重なることが考えられる（3.5 および 3.8）。その際立たせの方法がどのようなものであるかは、今後の課題としたい。

　また、小辞 -lah が題述を明示するマーカーとして随意的に用いられるが、常にどのような題述にも用いられるわけではない（3.3 参照）。-lah の用法に関してもさらなる検討が必要である。

略語

CLF	classifier
NAME	proper name
NEG	negative
NMLZ	nominalizer
PTCL	particle

| *MEN-* | prefix *meN-* (agent-oriented prefix) |
| *DI-* | prefix *di-* (patient-oriented prefix) |

参考文献

降幡正志. 2005.「インドネシア語 ada 存在文のイントネーションに関する一考察」,『東京外大東南アジア学』第 10 巻. 東京外国語大学外国語学部東南アジア課程研究室. pp.32-51.

降幡正志. 2014.「インドネシア語名詞文の超分節特性に関する考察」,『東京外大東南アジア学』第 19 巻. 東京外国語大学外国語学部東南アジア課程研究室. pp.86-101.

降幡正志. 2016.「インドネシア語の情報構造と名詞述語文」,『語学研究所論集』第 21 号. 東京外国語大学語学研究所. pp.191-204.

降幡正志. 2020.「インドネシア語の情報構造に関するいくつかの事象」,『東京外大東南アジア学』第 26 巻. 東京外国語大学東南アジア地域ユニット. pp.97-117.

FURIHATA, Masashi. 2006. "An Acoustic Study on Intonation of Nominal Sentences in Indonesian", in Kawaguchi, Y., Ivan Fonágy and Tsunekazu Moriguchi (eds.), *Prosody and Syntax -- Cross-linguistic Perspectives -- (Usage-Based Linguistic Informatics 3)*. Amsterdam: John Benjamins. pp.303-325.

FURIHATA, Masashi. 2016a. "On the Syntactic Function of Particles *-lah* and *-kah* in Indonesian Based on a Descriptive Analysis", in *Buku Kumpulan Makalah Kongres Internasional Masyarakat Linguistik Indonesia (KIMLI) 2016*. Denpasar: Masyarakat Linguistik Indonesia & Universitas Udayana. pp.257-259.

FURIHATA, Masashi. 2016b. "Why Is the Sundanese Particle mah Used in Spoken Indonesian? : The Importance of Information Structure", in *Proceeding Maranatha International Conference on Language, Literature, and Culture*. Bandung: Fakultas Sastra Universitas Kristen Maranatha. pp.7-25.

FURIHATA, Masashi. 2018. "Partikel 'wa' dalam Bahasa Jepang dari Segi Studi Kontrastif dengan Bahasa Indonesia dan Bahasa Sunda", *Simposium Peringatan 60 Tahun Hubungan Diplomatik Indonesia-Jepang: "Peran Akademisi dalam Peningkatan Interaksi Budaya"*. Universitas Indonesia, Depok, Indonesia. 4 September 2018.

Halim, Amran. 1974. *Intonation in Relation to Syntax in Bahasa Indonesia*. Jakarta: Djambatan.

峰岸真琴. 2021.『分裂文に関する共通調査確認項目 Ver.2』(未発表内部資料).

野元 裕樹, ムハッマド・ファリス・シノン・ビン・マスニン. 2018.「マレーシア語の否定と連体修飾複文」,『語学研究所論集』第 23 号. 東

京外国語大学語学研究所. pp.189-200.

現代口語ビルマ語の分裂文の統語的特徴
Some Syntactic Features of Cleft Sentences in Colloquial Burmese

岡野　賢二（東京外国語大学大学院総合国際学研究院）

Kenji Okano (Institute of Global Studies, TUFS)

要　旨

　本稿は現代口語ビルマ語の分裂文において、焦点として右方移動される要素を調査し、その統語的な振る舞いについて考察を行った。文の基本的な構成素である主語、目的語に加え、着点や場所の補語などは焦点化したときに格助詞が脱落可能であるのに対し、起点や道具、随伴者その他の周辺的な要素は焦点化しても格標識は必須となる。また同格構造内部の属性名詞や数量詞なども単独で焦点化可能である。このほか、理由や目標を表す従属節なども焦点化する。分裂文の前半部は名詞化した節であり、そこには必ずギャップが生じる。分裂文とは異なる、見た目上の右方移動も観察される。これらは名詞節内にギャップが生じていない可能性があり、旧情報であって、焦点ではないと考えられる。

キーワード：ビルマ語，分裂文，名詞節，焦点化，右方移動

1.　はじめに

　本稿[1]は現代口語ビルマ語（以下「ビルマ語」）[2,3]の分裂文と、それに関連

---

[1] 本稿は科学研究費（（基盤研究（B））課題番号: 17H02331「形態統語論と音声学からみた東南アジア諸語における情報構造の類型論」（代表者・峰岸真琴）の助成を受けたものである。

[2] 本稿の音転写は岡野（2019）に、略号は岡野（2020）に従った。

[3] 本稿を執筆するにあたり、東京外国語大学大学院博士後期課程所属 Cing Ngaih Lian 氏（27歳、女性、ヤンゴン出身、在日歴4年）にコンサルタントとしてご協力いただいた。本稿の例文は特に出典が示されていない限り、作例及びコンサルタントによっ

する統語的な現象について検討を行うことを目的としている。ビルマ語の分裂文は、澤田（1998:30）が焦点後置文と呼んでいるように、焦点を文の最後の要素に右方移動することで作られる。（以下は澤田 1998:30 の例で、(1)a は右方移動が起きていない文、b～e が文内の要素を右方移動したものである。

(1) a. mănêgâ màuɴbâ băgàɴ-sàʔouʔsʰàiɴ=hmà ʔăbîdàɴ tă-ʔouʔ wɛ̀=t̪ɛ̀.
    yesterday NAME   NAME-book.shop=LOC   dictionary one-CLF buy=VS.RLS
    昨日、マウンバはバガン書店で辞書を一冊買った。

   b. [mănêgâ # băgàɴ-sàʔouʔsʰàiɴ=hmà ʔăbîdàɴ tă-ʔouʔ wɛ̀=t̪à]
     yesterday   NAME-book.shop=LOC   dictionary one-CLF buy=NC.RLS

   màuɴbâ(=pɛ́).
   NAME(=FOC)
   昨日、バガン書店で辞書を一冊買ったのは**マウンバ**だ。

   c. [mănêgâ màuɴbâ băgàɴ-sàʔouʔsʰàiɴ=hmà # wɛ̀=t̪à]
     yesterday NAME   NAME-book.shop=LOC   # buy=NC.RLS

   ʔăbîdàɴ tă-ʔouʔ(=pɛ́).
   dictionary one-CLF(=FOC)
   昨日、マウンバがバガン書店で買ったのは**辞書一冊**だ。

   d. [mănêgâ màuɴbâ # ʔăbîdàɴ tă-ʔouʔ wɛ̀=t̪à]
     yesterday NAME   # dictionary one-CLF buy=NC.RLS

   băgàɴ-sàʔouʔsʰàiɴ=hmà(=pɛ́).
   NAME-book.shop=LOC(=FOC)
   昨日、マウンバが辞書を一冊買ったのは**バガン書店で**だ。

て提供された文である。引用された例文を含め、すべての例文をコンサルタントに確認していただいている。なお本稿における例文については、すべての責任は筆者にある。

e. [# màuɴbâ　　băgàɴ-sàʔouʔsʰàiɴ=hmà　ʔăbîdàɴ tă-ʔouʔ　wɛ̀=t̪à]

　　# NAME　　　NAME-book.shop=LOC　　　dictionary one-CLF　buy=NC.RLS

mănêgâ(=pɛ́).

yesterday(=FOC)

バガン書店でマウンバが辞書を一冊買ったのは昨日だ。

　b〜e の角括弧[…]によって示されているのが、a の文を名詞化した節である。名詞化した節は名詞節標識助詞（nominal clause marker particle, NC：以下「名詞節標識」）によって導かれる。#は後置された要素がもともとあった位置を示している。

2.　ビルマ語の2種類の文

　ビルマ語は述語末尾型（predicate-final）言語である。述語は動詞述語と非動詞述語に大別される。動詞述語は、事態に対応する動詞と、それが文の述語であることを示す動詞文標識助詞（verb sentence marker particle, VS：以下「動詞文標識」）とで構成される。非動詞述語は動詞述語以外の述語で、これは文の末尾に置かれることで述語として機能する。日本語の断定の助詞「だ」のような機能を持つ形式は存在しない。

(2)　tɕănɔ̀　　　　myămàzà　　　　t̪ìɴ=t̪ɛ̀.　　　　　　　　　　（動詞述語）

　　1SG.MS　　　Burmese　　　study=VS.RLS

　　私男はビルマ語を教えている/習っている。

(3)　tɕănɔ̀　　　　tɕáuɴd̪á.　　　　　　　　　　　　　　　　　（非動詞述語）

　　1SG.MS　　　student

　　私男は学生だ。

　ビルマ語の否定辞 mă-は動詞に前接して否定動詞を派生するが、非動詞述語文の述語には動詞がない（出動名詞などは含めない）ため、否定のための形式的な動詞 houʔ-「そうである」を用いる。つまり、事実上、非動詞文の否定は動詞文ということになる。

(2)' tɕănɔ̀　　　myămàzà　　**mǎ-t̰ìn=pʰú.**　　　　　　　（動詞述語）

1SG.MS　　　　Burmese　　　**NEG-study=VS.NEG**

私男はビルマ語を教えていない/習っていない。

(3)' tɕănɔ̀　　　**tɕáuɴd̥á**　　mǎ-houʔ=pʰú.

1SG.MS　　　　student　　　NEG-be.true=VS.NEG

私男は学生ではない。

　　この動詞 houʔ-「そうである」は繋辞（copula verb）ではない。肯定形が非文法的となるからである。[4]

(3)'' * tɕănɔ̀　　　**tɕáuɴd̥á**　　houʔ=tɛ̀.

1SG.MS　　　　student　　　be.true=VS.RLS

（私男は学生だ。）

　　ある要素が述語であるかどうかは、終助詞を後接させられるかどうかによって確認できる。

(3)''' tɕănɔ̀　　　**tɕáuɴd̥á=pà/=pɔ̂/=lɛ̀.**

1SG.MS　　　　student=PLT[5]/=SFP/=SFP

私男は学生です/さ/だよ。

　　つまり、ある形式が①後ろに mǎ-houʔ「そうではない」を置いて否定できる、②終助詞が後接できる、という2点を満たしていれば、それは非動詞述語であり、全体として非動詞述語文である、と見なす。

　　本稿で取り上げる分裂文は焦点である要素が文の末尾に現れ、かつ mǎ-houʔで否定ができ、終助詞が後接できることから、非動詞述語文の一種であるということになる。

---

[4] 肯定の非動詞述語の後ろに現れる動詞として pʰyiʔ-があるが、少し改まった表現となり、口語では若干不自然である。また否定で pʰyiʔ-は用いられず、否定では必ず houʔ-でなければならない。

[5] 丁寧さを表す-pàは動詞述語のなかに助動詞としても現れる。

(2)"a. [tɕǎnɔ̀ # t̪ìɴ=t̪à] myămàzà(=pà/=pɔ̂/=lὲ).

　　　1SG.MS # study=NC.RLS Burmese(=PLT/=SFP/=SFP)

　　　私男は教えている/習っているのはビルマ語だ（です/さ/だよ）。

　b. [tɕǎnɔ̀ # t̪ìɴ=t̪à] myămàzà mǎ-houʔ=pʰú.

　　　1SG.MS # study=NC.RLS Burmese NEG-be.true=VS.NEG

　　　私男は教えている/習っているのはビルマ語ではない。

　本稿で取り上げる分裂文は焦点である要素が文の末尾に現れ、かつ mǎ-houʔで否定ができ、終助詞が後接できることから、非動詞述語文の一種であるということになる。

3.　動詞文の名詞節化

　はじめに述べたように、分裂文では動詞文の名詞節化が関わるため、ここで説明をしておく。動詞述語は動詞文標識によって作られるが、これは話し手の命題内容に対する心的態度を表す法標識としての機能も持つ。法標識は多種あるが、動詞文標識の他に限定節標識助詞（attributive clause marker particle, ac）と名詞節標識の 3 種揃う叙実法（realis mood, RLS）、叙想法（irrealis mood, IRR）がもっとも直説法の基本的な法の対立であると考えられる。

図 1：ビルマ語の基本的な法標識（直説法）

	叙想 IRR	否定 NEG	叙実 RLS
動詞文標識 VS	-mὲ	-pʰú	-tὲ
限定節標識 AC	-mê		-tê
名詞節標識 NC	-hmà		-tà

　動詞文において直説法否定の標識が-pʰú となり、法が中和するが、限定節や名詞節では法の対立が保持される。

4.　後置可能な要素

　本節では分裂文において後置可能な要素について検討する。澤田（1998:30）

や岡野（2007:129）で検討されているように、主語（例文(1)b）、目的語（(1)c）、場所（(1)d）、時（(1)e）、など、ほとんどの要素が後置できる、とされる。

　さらに澤田（1998:30）に例が挙げられているように、従属節でも後置可能な場合がある。

(4) a. [t̪ù　#　nauʔ+tɕâ=t̪à]　sɛʔbéɪn　　pyɛʔ=lô=pà.　　　（同書30、一部改変）

　　　 3SG # be.late=NC.RLS bicycle　　broken=CNJconseq=PLT

　　　 彼/彼女が遅れたのは**自転車が壊れた**からです。

　b. [t̪ù　#　nauʔ+tɕâ=t̪à]　sɛʔbéɪn　　pyɛʔ=lô　　　　mǎ-houʔ=pʰú.

　　　 3SG # be.late=NC.RLS bicycle　　broken=CNJconseq　NEG-be.true=VS.NEG

　　　 彼/彼女が遅れたのは**自転車が壊れたから**ではない。

以下、後置される要素について、その統語的振る舞いを検討する。

4.1　格標識が脱落し得るケース

　前述のように主語、目的語などは分裂文において後置される要素となり得る。ただし格助詞を伴う場合、その振る舞いは単純ではない。

(5) a. kòwín(=k̪â)　　　kòmín=k̪ò　　yaiʔ=tɛ̀.

　　　 NAME(=NOM)　　NAME=ACC　beat=VS.RLS

　　　 コーウィンがコーミンを叩いた。

　b. [#　　　　　kòmín=k̪ò　　yaiʔ=tà]　kòwín(??=k̪â).

　　　 #　　　　　NAME=ACC　beat=NC.RLS　NAME(=NOM)

　　　 コーミンを叩いたのはコーウィン（が）だ。

　c. [kòwín(=k̪â)　　#　　　　　yaiʔ=tà]　kòmín(=k̪ò).

　　　 NAME(=NOM)　#　　　　　beat=NC.RLS　NAME(=ACC)

　　　 コーウィンが叩いたのはコーミン（を）だ。

　分裂文ではない(5)a で主格助詞-kâ の生起は文法性に影響を与えないが、[+human]の名詞が動作の対象であるとき、対格助詞-kò の生起は義務的であ

る。一方、主語が後置される場合、((5)b)のように主格助詞が生起するのは
かなり不自然になる。さらに対格名詞が後置されると((5)c)対格助詞の生起
が随意的となる。

　三人称代名詞 ṭù は対格助詞が後接すると義務的に斜格形式 ṭû となる。[6]次
の例を見られたい。

(6) a.　kòwín(=ḳâ)　　　ṭû=ḳò　　　　yaiʔ=tɛ̀.
　　　　NAME(=NOM)　　　3SG.OBL=ACC　beat=VS.RLS
　　　　コーウィンが彼/彼女を叩いた。

　　b.　[kòwín(=ḳâ)　　#　　yaiʔ=tà]　　ṭù/*ṭû/ṭû=ḳò.
　　　　NAME(=NOM)　　#　　beat=NC.RLS　3SG/3SG.OBL/3SG.OBL=ACC
　　　　コーウィンが叩いたのは彼/彼女（を）だ。

　三人称代名詞 ṭù が目的語の場合、対格助詞が後接して斜格形式 ṭû となる
が、これが右方移動され焦点化されたとき、対格助詞が脱落すると斜格形式
のままでは生起できず、直格形式となる。おそらく斜格形式は何らかの要素
が後ろに生起することを要求するのであり、格助詞が脱落した斜格形式は単
独では生起しづらいのであろう。

　なお目的語が無生物である場合、対格助詞の生起は随意的であり、斜格形
式も取らない。代名詞であっても同様である。

(7) a.　kòwín(=ḳâ)　　　pándí(=ḳò)　　kʰwɛ́=ṭɛ̀.
　　　　NAME(=NOM)　　　apple(=ACC)　　break.in.two=VS.RLS
　　　　コーウィンがリンゴを割った。

　　b.　[kòwín(=ḳâ)　　#　　kʰwɛ́=tà]　　pándí(=ḳò).
　　　　NAME(=NOM)　　#　　break.in.two=NC.RLS　apple(=ACC)
　　　　コーウィンが割ったのはリンゴだ。

---

[6] 特定の人物を指示する語で、末尾の声調が低平調のものは、対格助詞や所格助詞が
後接すると義務的に末尾の声調が下降調となる。

c. ?[kòwín(=ḳâ)   #   kʰwɛ́=ṭà]   ʔɛ́dà(=ḳò).

    NAME(=NOM)   #   break.in.two=NC.RLS   that[2](=ACC) [7]

コーウィンが割ったのはそれだ。

  着点の補語は無標か、対格助詞と同じ音声形式の向格助詞-kò で標示される。代名詞の場合、遠称 1 では-kò が脱落し得るが、遠称 2 では必須となる。これは焦点化とは恐らく関係のない現象であろう。

(8) a. kòwín(=ḳâ)   băgàɴ(=ḳò)   ṭwá=ṭɛ̀.

    NAME(=NOM)   NAME(=ALL)   go=VS.RLS

コーウィンがバガンへ行った。

  b. [kòwín(=ḳâ)   #   ṭwá=ṭà]   băgàɴ(=ḳò).

    NAME(=NOM)   #   go=NC.RLS   NAME(=ALL)

コーウィンが行ったのはバガン（へ）だ。

(9) a. kòwín(=ḳâ)   hò(=ḳò)/ʔɛ́dì=ḳò   ṭwá=ṭɛ̀.

    NAME(=NOM)   there[1](=ALL)/there[2]=ALL   go=VS.RLS

コーウィンがあそこへ/そこへ行った。

  b. [kòwín(=ḳâ)   #   ṭwá=ṭà]   hò(=ḳò)/ʔɛ́dì=ḳò.

    NAME(=NOM)   #   go=NC.RLS   there[1](=ALL)/there[2]=ALL

コーウィンが行ったのはあそこ（へ）/そこへだ。

  場所の補語は分裂文でない場合は必ず所格助詞-hmà が後接するが、分裂文では-hmà は随意的となる。ただ代名詞の場合、-hmà は必須である。

(10)a. kòwín=nê   băgàɴ=hmà   twê=ṭɛ̀.

    NAME=COM   NAME=LOC   meet=VS.RLS

コーウィンとバガンで会った。

---

[7] that[2] や there[1]、there[2] 等の表記は 2 種類ある遠称の区別に用いている。トゥザライン（2019:22 他）を参照されたい。

b. [kòwín=nê   #   twê=ṭà]   bӑgàɴ(=hmà).

   NAME=COM   #   meet=NC.RLS   NAME(=LOC)

   コーウィンと会ったのはバガン(で)だ。

(11)a. kòwín=nê   hò=hmà/ʔɛ́dì=hmà/dì=hmà   twê=ṭɛ̀.

   NAME=COM   there[1]=LOC/there[2]=LOC/here=LOC   meet=VS.RLS

   コーウィンとあそこで/そこで/ここで会った。

b. [kòwín=nê   #   twê=ṭà]   hò=hmà/ʔɛ́dì=hmà/dì=hmà.

   NAME=NOM   #   meet=NC.RLS   there[1]=LOC/there[2]=LOC/here=LOC

   コーウィンと会ったのはあそこで/そこで/ここでだ。

4.2　格標識が脱落しないケース

　前項で扱った主語、目的語、着点、場所と異なり、起点、随伴者、道具の補語の場合、どのような場合でも格助詞が脱落しない。

　起点の補語は主格助詞と同じ音声形式の奪格助詞-kâ が必須となる。

(12)a. kòwín(=ḳâ)   bӑgó=ḳâ   là=ṭɛ̀.

   NAME(=NOM)   NAME=ABL   come=VS.RLS

   コーウィンはバゴーから来た。

b. [kòwín(=ḳâ)   #   là=ṭà]   bӑgó=ḳâ.

   NAME(=NOM)   #   come=NC.RLS   NAME=ABL

   コーウィンが来たのはバゴーからだ。

c. [kòwín(=ḳâ)   #   là=ṭà]   hò=ḳâ/ʔɛ́dì=ḳâ.

   NAME(=NOM)   #   come=NC.RLS   there[1]=ABL/there[2]=ABL

   コーウィンが来たのはあそこから/そこからだ。

　道具の補語は具格助詞-nê が必須となる。

(13)a. tɕằnɔ̀(=kâ̧)　　　lèyìɴ=nê　　　bằgàɴ(=kò̧)　　ṯwá=ṯɛ̀.

  1SG.MS(=NOM) airplane=INS NAME(=ALL) go=VS.RLS

  私男は飛行機でバガンへ行った。

 b. [tɕằnɔ̀(=kâ̧)　　＃　　bằgàɴ(=kò̧)　　ṯwá=ṯà]　　lèyìɴ=nê.

  NAME(=NOM) ＃ NAME(=ALL) go=NC.RLS airplane=INS

  私男がバガンへ行ったのは飛行機でだ。

 c. [tɕằnɔ̀(=kâ̧)　　＃　　bằgàɴ(=kò̧)　　ṯwá=ṯà]　　ʔɛ́dà=nê.

  NAME(=NOM) ＃ NAME(=ALL) go=NC.RLS that^2=INS

  私男がバガンへ行ったのはそれでだ。※「それで」は指示表現。

　随伴者の補語は具格助詞と同じ音声形式の共格助詞-nê が必須となる。

(14)a.　kòwíɴ=nê　　bằgàɴ=hmà　　twê=ṯɛ̀.　　　　　　　　（＝(10)）

  NAME=COM NAME=LOC meet=VS.RLS

  コーウィンとバガンで会った。

 b. [＃　　　　　bằgàɴ(=hmà)　　twê=ṯà]　　kòwíɴ=nê.

  ＃   NAME(=LOC) meet=NC.RLS NAME=COM

  バガンで会ったのはコーウィンとだ。

　ただし次項で見るように、奪格や共格は右方移動できないケースもある。
またこの他の格助詞や、実質的な意味を失って文法関係を表す名詞（「格名詞」（澤田 1998:7 他、澤田 1999:16））も、焦点化が可能なものが多くある。以下、例文のみを挙げておく。

(15)a. [kʰă̆lé-ṯwè　　＃　laiʔ~louʔ=tà]　　ṯû-lò.　　　　（格名詞 lò(lò)「よう」）

  child-PL ＃ follow~do=NC.RLS 3SG.OBL-like

  子どもたちが真似しているのは彼のようにだ。

 b. [kʰă̆lé-ṯwè　　＃　laiʔ~louʔ=tà]　　ṯù　　pyɔ́=ṯă̆-lò.

  child-PL ＃ follow~do=NC.RLS 3SG speak=AC.RLS-like

  子どもたちが真似しているのは彼が言ったようにだ。

c. [t̪ù # louʔ~nè=t̪à] tɕwáɴ=t̪ǎ-lòlò mǎ-tɕwáɴ=t̪ǎ-lòlò=pɛ́.

   3SG # do~stay=NC.RLS skilled.at=AC.RLS-like skilled.at=AC.RLS-like

   彼/彼女がやっているのは上手なような、上手じゃないようなだ。

(16) [t̪ù-t̪ô # douʔkʰa+yauʔ=tà] ŋǎyìɴ=tɕâuɴ mǎ-houʔ=pʰú.

   3SG-PL_asc # be.in.trouble=NC.RLS earthquake=cause NEG-be.true=VS.NEG

   彼らが酷い目に遭っているのは地震のせいではない。

   （格助詞 tɕâuɴ〈原因〉）

(17) [# lâɴ~t̪wá=t̪à] pǎtʰǎmâ-ʂʰóuɴ tɕòuɴ=t̪à=mô. ⁸

   # be.startled~go=NC.RLS first-most meet.by.chance=NC.RLS=because.of

   ビックリしたのは（地震が）初めての経験だったからだ。

   （格助詞 mô〈原因〉）

(18) [# dà wɛ̀~tʰá=t̪à] t̪û-ʔǎtwɛʔ.

   # this buy~put.on=NC.RLS 3SG.OBL-sake

   これを買っておいたのは彼のためだ。（格名詞 ʔǎtwɛʔ〈動機〉）

(19) [tɕǎnò-t̪ô # kʰǎyí+t̪wá=t̪à] t̪ù-t̪ô sìzìɴ~pé=t̪ê-ʔǎtáiɴ.

   1SG.MS-PL_asc # go.travel=NC.RLS 3SG-PL_asc make.a.plan~give=AC.RLS-as

   我々が旅行しているのは、彼らが計画してくれた通りにだ。

   （格名詞 ʔǎtáiɴ「通り」）

(20) [ŋà # ɲâɴ=t̪à] nìɴ=lauʔ mǎ-houʔ=pʰú.

   1SG # inferior=NC.RLS 2SG=same.as NEG-be.true=VS.NEG

   あたしも上手くはないけど、あんたほどじゃない。（格名詞 lauʔ「ほど」）

   （*lit.* あたしが上手くないのはあんたほどではない。）

---

⁸ NHK World-Japan のビルマ語による日本語講座「やさしい日本語」第40課「初めて
だったから、びっくりしました ပထမဆုံးမို့လို့ လန့်သွားပါတယ်။」を参照し一部改変した。
https://www.nhk.or.jp/lesson/my/lessons/40.html

(21) ?* [kòmín # sà+tɔ̀=ʈà] kòwín=tʰɛʔ.

      NAME # bright=NC.RLS NAME=than

      （コーミンが勉強ができるのは、コーウィンよりもだ。）

      （格名詞 tʰɛʔ「～より」）

　これらの格助詞や格名詞によって標示されるものはいわゆる基本格ではなく、これらが現れなければそのような文法関係を付与することができないため、焦点化しても脱落しないのは当然であろう。

4.3 焦点化が許されないケース

　焦点化が許されないのは、元の文の直接構成素ではない場合である。具体的には「名詞1=格標識 名詞2」が全体として名詞2を主要部とする名詞句を構成する場合である。ここに現れる格標識は属格助詞-yê、奪格助詞-kâ、共格助詞-nê、様態を表す格名詞-lò「よう」などである。なお前項で見たとおり、属格の場合を除き後ろに名詞を伴わず、文の直接構成素となる場合もあり、その場合は焦点化可能である。

(22) a.　tɕǎnɔ̀(=ḳâ)　màuɴkʰìɴmìɴ=yê sàʔouʔ(=ḳò)　pʰaʔ=tɛ̀.

      1SG.MS(=NOM) NAME=GEN book(=ACC) read=VS.RLS

      私男はマウンキンミンの本を読んだ。

  b. * [tɕǎnɔ̀(=ḳâ)　# sàʔouʔ(=ḳò)　pʰaʔ=tà]　màuɴkʰìɴmìɴ=yê.

      1SG.MS(=NOM) # book(=ACC) read=NC.RLS NAME=GEN

      （私男が本を読んだのはマウンキンミンのだ。）

(23) a.　dʑǎpàɴpyì=ḳâ tɕáuɴdá=nê　zǎgá+pyɔ́=ʈɛ̀.

      NAME=ABL student=COM talk=VS.RLS

      日本からの学生と話をした。

  b. * [# tɕáuɴdá=nê zǎgá+pyɔ́=ʈà](=ḳâ)　dʑǎpàɴpyì=ḳâ.

      # student=COM talk=NC.RLS(=NOM) NAME=ABL

      （学生と話をしたのは日本からのだ。）

(24) a. kòwín=nê kòmín=ḳò pyìnɲàdɔ̀ṭìntɕáuɴḍá-ʔăpʰyiʔ
     NAME=COM NAME=ACC government-sponsored.international.student=as

     ywé=laiʔ=ṭɛ̀.
     select=VS.RLS

     コーウィンとコーミンを国費留学生として選んだ。

  b. * [# kòmín=ḳò pyìnɲàdɔ̀ṭìntɕáuɴḍá-ʔăpʰyiʔ
     #   NAME=ACC government-sponsored.international.student=as

     ywé=laiʔ=ṭà] kòwín=nê.
     select=AUX=NC.RLS NAME=COM

     (コーミンを国費留学生として選んだのはコーウィンとだ。)

(25) a. sʰăyâ-lò pyìnɲàɕìn-myó pʰyiʔ=tɕʰìn=ṭɛ̀.
     teacher.OBL-like scholar-sort become=AUX_{des}=VS.RLS

     先生のような学者になりたい。

  b. * [# pyìnɲàɕìn-myó pʰyiʔ=tɕʰìn=ṭà] sʰăyâ-lò.
     #   scholar-sort become=AUX_{des}=NC.RLS teacher.OBL-like

     (学者になりたいのは先生のようなだ。)

　焦点化が不可能なのはこれらの句が節の直接構成素はなく、名詞句を構成する要素だからであろう。すなわち「名詞1=yê 名詞2」や「名詞1=kâ 名詞2」、「名詞1=nê 名詞2」、「名詞1-lò 名詞2(-myó)」が全体で大きな名詞句を形成しているからであり、そのような場合、名詞句の一部に対して統語的操作をかけることができないと考えられる。名詞2に対しても統語的操作はかけられず、右方移動することは不可能である。

(22) c. * [tɕ̣ănɔ̀(=ḳâ) màuɴkʰìnmìn=yê # pʰaʔ=tà] sàʔouʔ(=ḳò).
     1SG.MS(=NOM) NAME=GEN # read=NC.RLS book(=ACC)

     (私男がマウンキンミンの読んだのは本をだ。)

85

(23)c. * [dʑǎpànpyì=ḳâ   #   zăgá+pyɔ́=ṭà]   tɕáuɴḍá=nê.

NAME=ABL   #   talk=NC.RLS   student=COM

（日本からの（と）話をしたのは学生とだ。）

(23)a.   dʑǎpànpyì=ḳâ tɕáuɴḍá=nê   zăgá+pyɔ́=ṭè̀.

NAME=ABL   student=COM   talk=VS.RLS

日本からの学生と話をした。

b. * [#   tɕáuɴḍá=nê   zăgá+pyɔ́=ṭà](=ḳâ)   dʑǎpànpyì=ḳâ.

student=COM   talk=NC.RLS(=NOM)   NAME=ABL

（学生と話をしたのは日本からのだ。）

(24)c. * [kòwíɴ=nê   #   pyìɴɲàdɔ̀ṭìɴtɕáuɴḍá-ʔăpʰyiʔ

NAME=COM   #   government-sponsored.international.student=as

ywé=laiʔ=ṭà]   kòmíɴ=ḳò.

select=AUX=NC.RLS   NAME=ACC

（コーウィンと共に国費留学生として選んだのはコーウィンをだ。）

(25)c. * [sʰǎyâ-lò   #   pʰyiʔ=tɕʰìɴ=ṭà]   pyìɴɲàɕìɴ-myó.

teacher.OBL-like   #   become=AUXdes=NC.RLS   scholar-sort

（先生のようなになりたいのは学者だ。）

4.4　同格要素の焦点化

　ビルマ語の名詞句を構成する要素のうち、同格のものとして現れるものとして属性を表す名詞[9]と数量詞とがある。限定する要素は被限定要素より前に現れるが、これらは後ろに併置される。

---

[9] 属性名詞は通常、属性を表す動詞に名詞化接頭辞ʔă-が前接して動名詞化したもの（を含む名詞）か、属性を表す動詞の畳語形である。例文におけるʔănìyàuɴ「赤色」はʔă [GER]-nì [read]-yàuɴ [color]という語構成となっている。

(26) ʔămâ=γ̂ɛ ʔéiɴdʑì ʔănìyàuɴ tă-tʰɛ̀
　　　 elder.sister=GEN cloth red.color one-CLF
　　　 お姉さんの一着の赤色の服、私女の赤色の服一着

　ビルマ語は数量詞遊離がほとんど起こらず、通常は隣接していなければならない。以下 a.文は完全に容認可能だが、b.文は対比的な文脈がない限りは不自然である。

(27)a. ʔămâ ʔéiɴdʑì tă-tʰɛ̀ wɛ̀=ţɛ̀.
　　　　 elder.sister cloth one-CLF buy=VS.RLS
　　　　 お姉さんは服を一着買った。

　 b. ? ʔămâ ʔéiɴdʑì=ķò tă-tʰɛ̀ wɛ̀=ţɛ̀.
　　　　 elder.sister cloth=ACC one-CLF buy=VS.RLS
　　　　 （同上）

　例(26)においてʔéiɴdʑì「服」の後ろに現れる属性を表すʔănìyàuɴ「赤色」やtă-tʰɛ̀「一着」は、しばしば主要部ʔéiɴdʑì「服」を修飾していると説明される。しかしこれらは分裂文において単独またはまとまって右方移動することがほぼ可能である。

(28)a. mănêgâ ʔămâ ʔéiɴdʑì ʔănìyàuɴ tă-tʰɛ̀ wɛ̀=ţɛ̀.
　　　　 yesterday elder.sister cloth red.color one-CLF buy=VS.RLS
　　　　 昨日お姉さんは赤色の服一着を買った。

　 b. [mănêgâ ʔămâ # wɛ̀=ţà] ʔéiɴdʑì ʔănìyàuɴ tă-tʰɛ̀.
　　　　 yesterday elder.sister # buy=NC.RLS cloth red.color one-CLF
　　　　 昨日お姉さんが買ったのは赤色の服一着だ。

　 c. [mănêgâ ʔămâ ʔéiɴdʑì ʔănìyàuɴ # wɛ̀=ţà] tă-tʰɛ̀.
　　　　 yesterday elder.sister cloth red.color # buy=NC.RLS one-CLF
　　　　 昨日お姉さんが赤色の服を買ったのは一着だ。

d. [mǎnêgâ ʔǎmâ ʔéiɴdʑì # tǎ-tʰɛ̀ wɛ̀=ţà] ʔǎnìyàuɴ.

    yesterday   elder.sister   cloth # one-CLF   buy=NC.RLS   red.color

    昨日お姉さんが服一着を買ったのは赤色だ。

e. [mǎnêgâ ʔǎmâ ʔéiɴdʑì # wɛ̀=ţà] ʔǎnìyàuɴ tǎ-tʰɛ̀.

    yesterday   elder.sister   cloth #   buy=NC.RLS   red.color one-CLF

    昨日お姉さんが服を買ったのは赤色の一着だ。

f. ??[mǎnêgâ ʔǎmâ # ʔǎnìyàuɴ # wɛ̀=ţà] ʔéiɴdʑì tǎ-tʰɛ̀

    yesterday   elder.sister   # red.color#   buy=NC.RLS   cloth one-CLF

    昨日お姉さんが赤色を買ったのは服一着だ。

g. [mǎnêgâ ʔǎmâ # tǎ-tʰɛ̀ wɛ̀~ţwá/là=ţà] ʔéiɴdʑì ʔǎnìyàuɴ.

    yesterday   elder.sister   # one-CLF   buy~go/come=NC.RLS   cloth red.color

    昨日お姉さんが一着買って行った/来たのは赤色の服だ。

上記例文 f.はかなり容認度が低いということであった。これは元々の列である ʔéiɴdʑì ʔǎnìyàuɴ tǎ-tʰɛ̀「赤色の服一着」の最初と最後の要素を右方移動しているからであるかも知れない。

また(28)g.文では移動を表す動詞 ţwá「行く」または là「来る」がないと若干不自然とのことであった。この理由については今のところ不明である。

いずれにしても「名詞 属性名詞 数量詞」の列は全体として文の構成素としても、またそれぞれが別個の構成素としても解釈し得る、という点で、主要部の前に現れる限定要素とは全く異なる統語的な地位を持っているということができるだろう。

4.5 節の焦点化

本節のはじめに見たように、従属節の一部も分裂文によって焦点化される要素となり得る。

(29) ţù # nauʔ+tɕâ=ţà sɛʔbéiɴ pyɛʔ=lô=pà.   (＝(4)a)

3SG # be.late=NC.RLS bicycle broken=CNJconseq=PLT

彼/彼女が遅れたのは自転車が壊れたからです。

(30) mèmè # sʰù=ţà tɕʰiʔ=lô=pà.   (書籍のタイトル)

mom # scold=NC.RLS love=CNJconseq=PLT

お母さんが叱るのは愛しているからです。

　従属節標識-lô が叙実の理由節を導く場合、その節自体を右方移動し、焦点とすることが可能である。しかしイディオムのなかに現れる従属節標識-lô の場合は右方移動できない。

(31)a. dì mǒɴhíngá sá=lô káuɴ=ţɛ̀.

this Mohinga eat=CNJconseq good=VS.RLS

このモヒンガーは美味しい。

b. * [dì mǒɴhíngá # káuɴ=ţà] sá=lô.

this Mohinga # good=VS.RLS eat=CNJconseq

（このモヒンガーがよいのは食べてだ。）

(32)a. dì=hmà daʔpòuɴ+yaiʔ=lô yâ=ţɛ̀.

here=LOC take.a.photo=CNJconseq be.all.right=VS.RLS

ここで写真を撮ってもよい。

b. * [dì=hmà # yâ=ţà] daʔpòuɴ+yaiʔ=lô

here=LOC # be.all.right=NC.RLS] take.a.photo=CNJconseq

（ここでよいのは写真を撮って、だ。）

　叙実の理由節を導く従属節標識-lô 以外の従属節で、焦点化が可能なものは-ʔauɴ〈目標〉「〜するよう」と-hmâ〈必要十分条件〉「〜てはじめて」ぐらいであり、他の従属節標識では不可能であった。

(33) [# sʰăyàmâ   pʰyébyé   pyɔ́pyâ(~pé)=t̪à]   tɕáuɴd̪á-t̪wè
      # teacher.F   slowly   explain(~give)=NC.RLS   student-PL

ná+lɛ̀-lwɛ̀=ʔàuɴ=pà.
understand-easy=CNJ_purp=PLT
先生がゆっくり説明し（てあげ）たのは、生徒たちがわかりやすいようにです。

(34) [# t̪ù-t̪ô   mănɛʔpʰyàn   là=hmà](=k̪â)   keiʔsâ   ɕî=hmâ
      # 3SG-PL_asc   tomorrow   come=NC.IRR(=NOM)   business   exist=CNJ_sufficient

mă-houʔ=pʰú.
be.all.right=VS.NEG
彼らが明日来るのは、用事があればこそ、ではない。

(35) * [# t̪ù-t̪ô   mănɛʔpʰyàn   là=hmà]   keiʔsâ   ɕî=yìɴ.
      # 3SG-PL_asc   tomorrow   come=NC.IRR   business   exist=CNJ_cond
   （彼らが明日来るのは、もし用事があればだ。）

(36) * [ɲâzà   #   sá=t̪à]   tɕʰɛʔ=pí.
      supper #   eat=NC.RLS   cook=CNJ_seq
   （夕食を食べたのは料理してだ。）

(37)a. [tɕănɔ̀-t̪ô   #   tìbì   tɕî=t̪à](=k̪â)   maʔtaʔ+yaʔ=yɛʔn̂ê. [10]
       1SG.MS-PL_asc   #   TV   watch=NC.RLS(=NOM)   stand.up=CNJ_seq
   私たちがテレビを見たのは、立ってだ。

   b. * [tănêgòuɴ   #   géiɴ+sʰɔ̂~nè=t̪à](=k̪â)   louʔsăyà-t̪wè   ʔămyádʑí
      all.day.long   #   game+play~stay=NC.RLS(=NOM)   what.to.do-PL   much

---

[10] -yɛʔ(t̪á)n̂ê は文語の継起の接続助詞-(h)hyɛʔの口語形式であり、文語では継起の意味しかないが、口語では強い逆接を表すことがほとんどである。なお t̪á は名詞化要素と思われ、後続する-n̂ê はもともと共格助詞（または具格助詞）であろう。

ɕî=γεʔ(t̪á)nɛ̂.

exist=CNJ_however

（一日中、ゲームで遊んでいるのは、やるべきことがたくさんあるにも拘わらずだ。）

(38)　*　[# ʔăpyɪ̀n+tʰwεʔ=mî=t̪à]　　　　tʰí　　　mă-pà=bɛ́(=nɛ̂).

　　　　# go.out=unconsciously=NC.RLS　umbrella　NEG-include=CNJ_without=COM(=COM)

　　　（うっかり外出したのは、傘を持たずにだ。）

　条件節であっても、必要条件を表す-hmâ は可能で（例文(34)）、通常の条件を表す-yɪ̀n（例文(35)）は不可能であるのは興味深いが、理由についてはよく分からない。

　引用節についても見てみよう。引用節は引用節標識-lô（理由節の従属節標識と同音異義）によって導かれる。

(39)a.　[dăbɛ̂-t̪wɛ̀=k̪â sʰăyà-ʔúkʰɪ̀nʔé=k̪ò　#　kʰɪ̀nkʰɪ̀nmɪ̀nmɪ̀n　kʰɔ́=tɕâ=t̪à]

　　　　pupil-PL=NOM teacher-NAME=ACC　#　friendly　　　　　call=AUX_mut=NC.RLS

　　　　sʰăyà-ʔé(*=lô)=p̪à.

　　　　teacher-NAME(=QUOT)=PLT

　　　　教え子たちがキンエー先生を親しみを込めて呼ぶのは「サヤー・エー」（*と）だ。

　b.　[tɕănò　　#　　yìywὲ~tʰá=t̪à]　　　nauʔhniʔ dʑăpàn t̪wá=mὲ=lô.

　　　　1SG.MS　#　　intend~put.on=NC.RLS next.year　name　go=VS.IRR=QUOT

　　　　私が心づもりしていたのは、「来年日本へ行く」と、ということだ。

　(39)a では焦点化された引用節で引用標識が生起すると容認不可能である。これに対して(39)b では引用標識が必須である。これは単に引用される内容が単独の名詞句か、文か、という違いに起因しているかも知れないが、詳細は今のところ不明である。

5. 分裂文と焦点化を伴わない右方移動

　最後に分裂文と、ある要素が単に述語より右方へ移動されたように見える場合とを比較する。

(40)a.　[t̪ù-t̪ô　#　t̪wá=t̪à](=k̪â)　　míyăt̪ʰá=nê(=lè).　（澤田 1998:30、一部改変）
　　　　3SG-PLasc #　go=NC.RLS(=NOM) train=INS(=SFP).
　　　　彼らが行ったのは、列車でだ。

　　b.　t̪ù-t̪ô　　#　t̪wá=t̪ɛ̀,　　　　míyăt̪ʰá=nê=lè.　　　　　　　　（同）
　　　　3SG-PLasc　#　go=VS.RLS　　　train=INS=SFP
　　　　彼らは行った、列車でね。

　　c.　t̪ù-t̪ô　　#　t̪wá=t̪à(*=NOM),　　míyăt̪ʰá=nê=lè.
　　　　3SG-PLasc　#　go=NC.RLS(=NOM)　　train=INS=SFP
　　　　彼らは行ったんだ、列車でね。

　　d.　t̪ù-t̪ô　　míyăt̪ʰá=nê　t̪wá=t̪à.
　　　　3SG-PLasc　train=INS　　go=NC.RLS
　　　　彼らは列車で行ったんだ。

　a 文は分裂文である。これに対し b 文は右方移動されたように見える要素は言い足しであって、前半の t̪ù-t̪ô # t̪wá=t̪ɛ̀.「彼らは行った」は文として完結している。後に言い足された要素は直前に完結した文の補足であり、焦点化は生じていない。c 文の場合、míyăt̪ʰá=nê=lè.「列車でね。」の前が名詞節になっているため、分裂文のように見えるが、これは名詞節の主節用法 stand-alone nominalization、すなわち日本語の「のだ文」（本稿では熊谷（2011）に従い「-tà/-hmà 文」[11]と呼ぶ）に当たる d 文に b 文と同じ右方移動が起こったものであると考えられる。

　これは以下の(40)b'、c'のような、名詞節内にギャップが生じていないパターンが存在することからも予測される。この場合は焦点というより、談話的に脱落しても復元可能な旧情報であると考える方が妥当であろう。(40)c は本

---

[11] 熊谷（2011）では「-ta_/-hma_文」だが、本稿の音転写に合わせた。

来、主節内に生じることも可能な要素を脱落させたもの、と捉えることができるであろう。

(40)b'. ṭù-ṭô   míyắtʰá=nê   ṭwá=ṭè̱,   míyắtʰá=nê(=lè).
       3SG-PLₐₛc train=INS   go=VS.RLS   train=INS(=SFP)
       彼らは列車で行った、列車で（ね）。

   c". ṭù-ṭô   míyắtʰá=nê   ṭwá=ṭà,   míyắtʰá=nê(=lè).
       3SG-PLₐₛc train=INS   go=NC.RLS   train=INS(=SFP)
       彼らは列車で行ったんだ、列車で（ね）。

　なおコンサルタントの Cing Ngaih Lian 氏によれば、c 文は a 文のように名詞節に主格-kâ を後接させることが不可能である、とのことである。本稿では特に示さなかったが、改めて確認を行ったところ、本稿で例示した分裂文はすべて前提となる名詞節にすべて主格-kâ を後接することが可能ということとであった。

　言い換えると、名詞節の後ろに、その名詞節内の要素と移動後の文で名詞節に主格-kâ が後接可能であれば分裂文、不可能であれば言い足し（もしくは倒置）ということになろう。例文(37)b で主格-kâ が現れ得ない場合は「一日中、ゲームで遊んでいるんだ、やるべきことがたくさんあるにも拘わらずね。」という倒置文として容認可能となる、とのことである。

6.　おわりに

　本稿では扱えなかったが、一語返答[12]と言いさし文について、分裂文との振る舞いについて検討する必要があろう。

　まず一語返答について。ビルマ語では特殊疑問文に対し、焦点の要素のみで答えることが可能である。特に特殊疑問文が動詞述語文ではなく、-tà/-hmà 文である場合は、疑問文とその答えのセットが分裂文に非常に近似する。

---

[12] Okell 1969:30 に'one-word answers'という記述があるが、これは動詞連続構文（Okell は compound verb）における現象であり、本稿の一語返答とは異なる。

(41)a.

kòmíN=ḳò	băḍù(=ḳâ)	yaiʔ=tà=lɛ́.	---	kòwíN(ʔ=ḳâ).
NAME=ACC	who(=NOM)	beat=NC.RLS=Q$_{sp}$		NAME(=NOM)

コーミンを誰が叩いたのか？　　　　　　　　　　　　　コーウィン（ʔが）だ。

b.

kòwíN(=ḳâ)	băḍû=ḳò	yaiʔ=tà=lɛ́.	---	kòmíN(=ḳò).
NAME(=NOM)	who.OBL=ACC	beat=NC.RLS=Q$_{sp}$		NAME(=ACC)

コーウィンは誰を叩いたのか？　　　　　　　　　　　　コーミン（を）だ。

c.

kòwíN(=ḳâ)	băḍû=ḳò	yaiʔ=tà=lɛ́.	---	*ṭù/*ṭû/ṭû=ḳò.
NAME(=NOM)	who.OBL=ACC	beat=NC.RLS=Q$_{sp}$		3SG/3SG.OBL/3SG=ACC.

コーウィンは誰を叩いたのか？　　　　　　　　　　　　彼をだ。

(42)a.

kòwíN	bɛ̀(=ḳò)	ṭwá=ṭà=lɛ́.	---	băgàN(=ḳò).
NAME	where(=ALL)	go=NC.RLS=Q$_{sp}$		NAME(=ALL)

コーウィンはどこへ行ったのか？　　　　　　　　　　　バガン（へ）だ。

b.

kòwíN	bɛ̀(=ḳò)	ṭwá=ṭà=lɛ́.	---	hò(=ḳò)/ʔɛ́dì=ḳò.
NAME	where(=ALL)	go=NC.RLS=Q$_{sp}$		there[1](=ALL)/there[2]=ALL

コーウィンはどこへ行ったのか？　　　　　　　　　　　そこ（へ）/あそこへだ。

　分裂文と振る舞いがよく似ているものの、目的語が代名詞のとき、対格助詞が脱落する形式が許容されない点は分裂文と異なる。この点については更なる調査・検討が必要であろう。

　また節の焦点化については言いさし文との関連性も考察したい。言いさし文は単独で用いられ、分裂文の焦点になりやすいと考えられる。

(43)a.

míN=ḳò	táuNbàN-șăyà	çî=lô.
2SG=ACC	apologize-necessity	exist=CNJ$_{conseq}$

お前に謝らなきゃならないことがあるんだ。[13]

---

[13] ここの例文はすべて東京外国語大学言語モジュール・ビルマ語・会話のスキットから採取した。（http://www.coelang.tufs.ac.jp/mt/my/dmod/）

b. ʔé, ʔăkò-tɕí=lɛ́   ʔɛ́dà   mé=**mă=lô**=pɛ́.

    INTERJ   elder.brother-AUG=DM_{also}   that[2]   ask=**VS.IRR=QUOT**=SFP

    うん、オレもそれを訊こうと思ってて。

c. ʔăkʰáN-tʰɛ   wìN=tɕâ=**yâʔàuN**.

    room-inside   enter=AUX_{mut}=HORT

    教室の中に入りましょう。

　詳細は割愛するが、叙実の理由節は言いさし文としても用いられ、分裂文の焦点ともなるなど、ある程度の共通点はあるものの、引用節については叙想の動詞文が弱化した形式（mɛ̀→mǎ）でないと言いさし文には現れないなど違いがあるようだ。また目標節の従属節標識-ʔàuN は義務を表す助動詞-yâ を伴い、勧誘表現となっているが、目標節がそのまま言いさし文となっているわけではない。さらには必要条件を表す-hmâ は言いさし文としては使われない。

　以上、分裂文と、それ以外の統語的な現象との関わり合いについてはまだ不明点はあり、今後の課題としたい。

参考文献

岡野賢二. 2007.『現代ビルマ(ミャンマー)語文法』. 国際語学社.

_____. 2019「日本語とビルマ語の相互変換における問題点—人物を指示する名詞周辺の現象—」『東京外大東南アジア学』第 24 巻, pp.55-79.（http://repository.tufs.ac.jp/handle/10108/92935）

_____. 2020「特集「否定，形容詞と連体修飾複文」ビルマ語データと記述—語研論集第 23 号特集補遺—」『語研論集』第 24 号, pp.325-357, 東京外国語大学語学研究所.

　（http://repository.tufs.ac.jp/handle/10108/94767）

Okell, John. 1969. "A Reference Grammar of Colloquial Burmese" London, Oxford University Press.

熊谷宣樹. 2011.「現代口語ビルマ語における「-ta_ / -hma_文」の機能につい

て」東京外国語大学地域文化研究科・外国語学部記述言語学研究室.

(http://repository.tufs.ac.jp/bitstream/10108/90505/1/Kumagai.pdf)

澤田英夫. 1998.『ビルマ語文法(2 年次)』1999 補訂

(http://www.aa.tufs.ac.jp/~sawadah/burtexts/burgram2.pdf)

_____. 1999.『ビルマ語文法(1 年次)』.

(http://www.aa.tufs.ac.jp/~sawadah/burtexts/burgram1.pdf)

トゥザライン. 2019.『現代ビルマ語における指示詞の研究：現場指示、文脈参照現場指示、文脈指示をめぐって』東京外国語大学博士論文.

(http://repository.tufs.ac.jp/bitstream/10108/93411/1/dt-ko-0271.pdf)

チノ語悠楽方言の焦点表示について[1]
Focus Marking in Youle Jino

林　範彦（神戸市外国語大学）
Norihiko HAYASHI (Kobe City University of Foreign Studies)

要　旨
　本稿は中国雲南省で話されるチベット・ビルマ諸語の１つであるチノ語悠楽方言の焦点表示について記述を試みた。Lambrecht(1994)の焦点構造の下位分類(項焦点/AF, 述語焦点/PF, 文焦点/SF)をもとに、チノ語の焦点ストラテジーとの対応関係を記述した。結果として部分焦点(AF, PF)と文焦点(SF)が特定の条件に従い、音韻的・形態的・統語的の３つのストラテジーを使い分けて表示されることを述べた。

キーワード: チノ語、チベット・ビルマ諸語、焦点、音韻的ストラテジー、形態的ストラテジー、統語的ストラテジー

1　はじめに―本稿の目的と先行研究

本稿は中国雲南省景洪市で話されるチベット・ビルマ諸語の１つ、チノ語悠楽方言[2]の焦点表示に関する問題について、筆者の調査資料[3]をもとに記述・分析する。

---

[1] 本稿は2021年4月3日に開催された言語の類型的特徴対照研究会(ZOOMオンライン)において発表した「チノ語悠楽方言の焦点表示における戦略」に基づいている。発表時にて有益なコメントをくださった研究会の皆様に感謝を申し上げる。当然ながら、本稿におけるいかなる誤謬も筆者個人の責めに帰する。

[2] 本言語はチベット・ビルマ語派ロロ・ビルマ語支ロロ語群に属する。チノ語を話すチノ族(基诺族)の総人口は23000人を超えるが(2010年人口調査)、チノ語悠楽方言を流暢に話す人口は詳細について不明ながら10000人前後であろうと推定される。

　本言語の類型論的な特徴を林(2009)の内容から整理する。基本語順をSOVとし、主格・対格型の言語である。形容詞は主名詞に後続するが、関係節は主名詞に先行することが多い。形態論的には膠着性が高く、特に動詞は接頭辞類・接尾辞類が多数付加されることがある。

[3] 本稿で用いるチノ語のデータは引用を明示したものを除いて、主として筆者が2008年から2018年までに現地調査にて得た資料を元にしている。調査に協力くださったW氏(1980

97

チノ語悠楽方言の記述研究は筆者のものを除くと、主に盖(1986)と蒋(2010)がある。ただし、いずれも下位方言の差異がある。[4] これらは基本構造の記述やデータの提示の点で参考になる部分が多いが、いずれも焦点に関する詳しい記述・分析はなされていない。

　筆者の記述研究で焦点に関わる問題を扱ったものには主として林(2007, 2009, 2010[Hayashi])などがある。しかし、これらは疑問やコピュラなどの記述を行う際に、部分的に焦点の問題とどのように関わるのかを扱っているのみである。

　そこで、本稿では筆者のこれまでの部分的な記述を振り返ると同時に、新たに音調のストラテジーを含めた記述を行い、チノ語悠楽方言(次節以降では「チノ語」とする)の焦点表示に関わる問題を総合的に検討していきたい。

　なお、特段の断りがない限り、本稿のデータは筆者個人が得たチノ語資料である。

2 焦点について

　さて、本題に入る前に、焦点について一度整理しておきたい。焦点 (focus)という用語の定義は実はたやすくない。一般によく引用される Lambrecht (1994)は以下のように定義づけている。

> "FOCUS: The semantic component of a pragmatically structured proposition
> whereby the assertion differs from the presupposition." (Lambrecht 1994: 213)

　直訳すれば、「断定が前提と異なる、語用論的に構造化された命題の意味成分」となるが、一言で捉えにくい定義である。その後に書かれた Lambrecht (2000)でまとめられた定義の方がいささかわかりやすいだろうか。

年生、女性)・Y 氏(1950 年ごろ生、女性)に心から感謝申し上げる。なお、現地調査では中国雲南民族博物館の高立青館長・謝沫华元館長・高翔氏をはじめとして、現地機関の協力をいただいた。 また本研究は日本学術振興会科学研究費補助金・補助事業(JP20720111, 23720209, 26370492, 16H02722, 17H02335, 18H05219)の支援も頂いている。ここに記して上記機関に深謝したい。
[4] 本稿はパカー下位方言(Baka, 巴卡话)をベースとしているが、盖(1986)および蒋(2010)はパト下位方言(Baduo, 巴朵话)をベースとした記述を行なっている。

"'focus' is defined as that element of a pragmatically structured proposition whose occurrence makes it possible for the sentence to express a 'pragmatic assertion', i.e. to convey new information to an addressee."
(Lambrecht 2000: 612)

　「その生起によって文が語用論的断定を表現できるようになる、つまり聞き手に心情を伝えることができるようになるような語用論的に構造化された命題の要素」として焦点がここでは定義されている。

　他方、例えば高見 (1995)では焦点について以下のように述べている。

　　「焦点 ＝ 重要度の高い 情報: 話し手がある文を発話する際, 聞き手がその文中にある要素の出現を予測できない (unpredictable)と話し手が見なす時, その要素はその文の焦点であり, 重要度が高い情報である。言い換えれば, 話し手が聞き手に特に伝達したい部分, つまり断定 (assert) している部分を焦点, または重要度が高い情報と呼ぶ。

　　　これまで, 焦点 ＝ 重要度の高い 情報 ＝ 新情報, 前提 ＝ 重要度が低い 情報 ＝ 旧情報とみなして議論を進めてきたが, これらの概念は, それぞれ全く同一というわけではない。本書ではこれらの概念のうち, 「重要度が高い情報」,「重要度が低い情報」という概念を用い, またそれに伴い、ある要素を別の要素と比較して, 「より重要度が高い情報」とか「最も重要度が高い情報」という言い方を用いる...[後略]」[5] (高見 1995: 139)

　これらの先行研究を並べるだけでわかるように、「焦点」に対する捉え方や用語法は研究者ごとに異なりうる。つまり、概念としては大変難しいものの 1 つといえよう。

　さて、本論集のめざす「類型的特徴」をとらえるために、焦点表示における一般的な類型について、簡単にここで整理しておく。

---

[5] 高見 (1995: 141)は 「要素間の情報の重要度」 は 「相対的」 であるとしている。

(1)　a.　音韻的ストラテジー (or プロソディー)

　　　　強勢付与、高ピッチ付与、曲折イントネーション、ポーズなど

　　b.　形態的ストラテジー

　　　　焦点マーカー

　　c.　統語的ストラテジー

　　　　左方転位、右方転位、語順、名詞化、コピュラ文など

(1)は通言語的に焦点ストラテジーとしてよく見られるものである。形態論的類型との相関性も一定程度認められるところだろうが、膠着性の高い言語においては(1a, b, c)のいずれも関与すると考えられる。一般的なテンス・アスペクト・モダリティーなどの文法範疇と情報構造の表示において大きく異なる点は、前者が形態的あるいは統語的ストラテジーのどちらか一方あるいは両方を用いるのに対し、後者はすべてが複合的に関与するところだろう。

　焦点は下位分類の設定が可能である。ここでは Lambrecht (1994: 223)から、3 つの分類を引用しておく。

(2)　　Lambrecht (1994: 223) [日本語表記は筆者により表記を改めた]

　　a.　Predicate focus structure [PF]

　　　　What happened to your car?

　　　　My car/ It broke DOWN.

　　　　(日) [車は]**故障**した。

　　b.　Argument focus structure [AF]

　　　　I heard your motorcycle broke down?

　　　　My CAR broke down.

　　　　(日) **車**が故障した。

　　c.　Sentence focus structure [SF]

　　　　What happened?

　　　　My CAR broke down.

　　　　(日) **車**が**故障**した。

(2)ではLambrecht (1994)から英語での質問と、それに対する英語・日本語の応答例を引用し、焦点構造の下位分類を例示した。以下、Lambrecht (1994)の説明を簡潔に整理しておく。

(2a)に見える述語焦点構造(Predicate focus structure, 以下PF)では、発話者の車が議論の話題とされ、それに述語で表される何らかのイベントが生じたという断定が引き出される。この場合に焦点のドメインが述語であるとされる。

(2b)に見える項焦点構造(Argument focus structure, 以下AF)では、発話者の所有物の何かが壊れたという関連知識が命題としてあるわけだが、それが発話者の車だということである。このとき、焦点となるのは「車」である。

(2c)に見える文焦点構造(Sentence focus structure, 以下SF)では、語用論的な前提が何ら喚起(evoke)されず、「何かが起きた」という命題が状況から推定されるということである。断定が命題全体に及んでいる。この例では、「発話者の車が故障した」ことは断定であり、かつ焦点でもある。したがって焦点のドメインが文(全体)となっている。

これを模式的に表してみよう。試みに述語が文末に生起する言語を考える。この時、AF, PF, SFの相互の関係は以下の図のようになる。

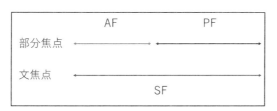

図1: 焦点ドメインの下位分類と範囲

図1でまとめるように、AFとPFは文の一部に焦点を当てる「部分焦点」の一種であり、文焦点のSFと対立する体系と見ることができる。AFは主語や目的語といった項だけでなく、実際には後置詞句(言語によっては前置詞句)なども含む。

AF, PF, SFは対立すると考えられているが、各焦点ドメイン間の関係性はおそらく言語ごとに異なると考えた方がよいかもしれない。英語の場合はLambrecht (1994, 2000)で説明されるが、AFとSFの文形態に対立がない。Lambrecht (2000: 628)では

通言語的な傾向[6]として、「SFとPFの間の焦点の曖昧性よりもSFとAFの間の焦点の曖昧性の方が許される」と述べている。しかし一方で、竹内・松丸 (2019)は日本語京都市方言の場合について、SFとPFの同音性が許されるために、Lambrecht (2000)の原則にはまらないと指摘している。

　実はPFとSFの関係は、AFとPFないしAFとSFの関係よりも深いと考えるべき事例は他にもあると言えるのではないだろうか。その理由は述語が構造上文の主要部とみなせるからである。文の主要部の述語に焦点が当たっているPFがSFと機能的にオーバーラッピングすることは十分に考えられる。詳細な分析は今後も継続する必要があるが、チノ語においても4.2で後述する例(15, 16)などからPFは「部分焦点ながら、文焦点にも近い」という境界的な特徴を持つ可能性を述べておきたい。

　これら3つの分類を踏まえて、以下の記述を行っていく。チノ語の焦点ストラテジーは音韻的・形態的・統語的の3種とも存在するが、それが結果的にAF, PF, SFとどのように関与するのかを記述・分析していきたい。

3　音韻的ストラテジー

　本節ではまず、チノ語の焦点表示における音韻的ストラテジーについてみていく。

　一般に、音調と情報構造の関係としては、イントネーションにおいて、文頭から文末にかけてピッチが自然下降(declination)するパターン、あるいは平調(level tone)を維持するパターンは情報上「無標」であるのに対し、ピッチが文内で極端に上昇、あるいは下降するようなパターンは情報上「有標」である。このことはすでに多くのイントネーション研究(例えばSelkirk 1995,[7] Gussenhoven 2004など)で各言語の多様性を認めながらも繰り返し確認されてきたことである。

---

[6] 風間(2019: 147)が指摘するように、Lambrecht (2000)の挙げる例はヨーロッパの言語が多い。ついでアフリカのいくつかの言語を挙げる傾向にあり、このほかの言語の例は少ない。このため、どうしても一般的な傾向を捉えにくくなっているのではないかと推定される。

[7] Selkirk (1995: 553)では、例えば英語の"continuation rise"で現れる高ピッチ (H%)にみられるように、文中での境界トーンは話題や焦点、挿入句、非限定的な関係節ほか、統語的に定義可能な構成素のクラスを明示化しうる、としている。

チノ語は音節が声調を担いうる。[8]　イントネーションとの相互作用に関する分析は
まだ不十分ながら、チノ語においてもいわゆる情報上「無標」であるパターンとの差異
が明らかなのは、やはり文内でピッチの極端な変動がみられる場合である。

　次の(3)を見られたい。

(3)　　ja⁵⁵kho⁴⁴　　m̥uɯ³⁵-lœ⁴⁴　　$\boxed{\text{fe}^{35}\text{-m̥a}^{42}}$　　mɔ⁴⁴-jɔ⁴⁴.

　　　　タバコ　　　　吸う-も　　　　肺-PL　　　　NEG-よい

　　　「(タバコを吸うと)肺などによくない。」

(3)は会話の中で嗜好品が体にどのような影響があるかが話題に上がっている中での
発話である。タバコが体に悪影響を与える中で、とりわけ肺に対してよくないと述べて
いることから、四角で囲まれた句が焦点となる。この末尾が下降調(42 調)で現れてい
ることに注意されたい。Praat でピッチを切り出した画像を図 2 に示す(後半部分のみ
の提示)。

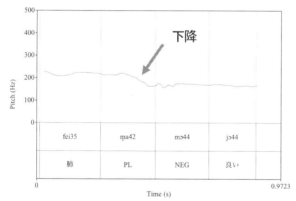

図2: 下降調による焦点表示例 (3) [Y 氏の発音]

この複数標識の-m̥a は通常高平調 (55 調、high level tone)で出ることが一般的であ
る。対照的に以下に一般的な音調で現れる例を挙げておく。

---

[8] チノ語の音素目録の詳細は林(2009)などを参照されたい。 ここでは音節声調において/55,
44, 33, 35, 42/が 5 種類存在することを述べておく。

(4)　　tɕhi⁵⁵+ta³³-jɔ³³-**ma⁵⁵**　　　khœ³³-mɛ³⁵.

置く+上る-NML-PL　　　作る-PAST

「(料理をするのに便利だから台所にものを)置く場所を作ったのよ。」

(4)は複数標識-ma⁵⁵ を含む例でごく一般的なイントネーションで現れるものである。図3 で見るように高平調で現れている。この点が(3)の場合と対照的である。

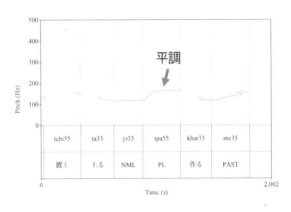

図3: 複数標識を含む一般的なイントネーションの例 (4)[W 氏の発音]

　以下に(3)と類似する例を挙げよう。相違点は極端なピッチ下降が文末に現れる点である。

(5)　　vɔ⁵⁵=ɛ⁵⁵　　　ji³³pu⁴⁴　　nə⁴²　　　　　mjə³³-tɔ⁴⁴-a⁴⁴-la⁴²?

竹=POSS　　　桶　　　2SG.NOM　　　見える-EXP-PART-Q

pa⁵⁵phjəu⁵⁵-**ma⁴²**?

パピュ (PLN)-PL.Q

「竹で作った桶は、あなたは見たことがあるか?パピュ[の人たちの](村)で?」

(5)は 四角 で囲まれた部分はやはり複数標識-ŋaを含んでいる。この「パピュ(の人た
ちの村)」の部分は、そもそも前文の内部に配置されているべき名詞句である。この例
ではパピュに焦点をあてて、抜き出して下降イントネーションを与えたものだと見なせ
る。

　このような焦点を当てて、語句ごと抜き出して下降イントネーションを与える例は以
下の(6)にも見られる。

(6)　　ɳi⁵⁵vɛ⁵⁵　　　　tso⁵⁵mi⁵⁵　　khɔ⁵⁵pu⁴⁴-thə³³-a⁴⁴　　 kɔ³³-phu⁴²?

　　　2PL.POSS　　村　　　　いくら-多い-Q　　　各-CLF.Q

　　　「あなたたち(日本)の村ではいくらなの?(ビーフンうどん)一杯。」

(6)の例で 四角 で囲まれた部分は類別詞を伴った句である。これも(5)の例と同様、極
端なピッチ下降が生じている。これも通常の語順は khɔ⁵⁵pu⁴⁴-thə³³-a⁴⁴「いくらなのか」
という述語の前に現れる句であるが、ここでは焦点が当てられて、文末移動とピッチ
下降が見られる。

　動詞述部の末尾に配置される過去標識の-mɛ も(5)と非常に類似した現象が確認
される。以下の(7), (8), (9)を見られたい。

(7)　　pu³³ta⁵⁵=a⁴⁴=lœ⁴⁴　　　 pi³³-mɛ⁴²?

　　　ブタ(PSN)=PART=も　　与える-PAST.Q

　　　「(仕事を手伝ってくれた人には謝礼を行うが)ブタにも(鶏1羽)あげたの?」

(8)　　ɳi⁵⁵jə⁴⁴　　　　　 pho³³-mɛ⁴²?

　　　自分 (2)　　　　　買う-PAST.Q

　　　「あなた自身で(それを)買ったの?」

(9)　　khɔ⁵⁵ŋə⁴⁴=jə⁵⁵=ɛ⁵⁵　　 tai³⁵-mɛ⁴²?

　　　いつ=から=POSS　　かける-PAST.Q

　　　「いつから(メガネを)かけ(はじめ)たの?」

(7), (8), (9)の例はいずれも文末に過去標識の-mɛ が生起している。共通しているのは、いずれも平叙文ではなく、疑問文であることである。-mɛ には元来疑問を表示する機能はない。過去のみを表す場合、さまざまな声調で生起しうるが上昇調(35 調)で現れる例が一般的である。

(10)　　　çi³⁵=jə⁴⁴　　　jen³³ʃi³⁵+luɯ³³-**mɛ³⁵**.
　　　　　ここ=から　　　パフォーマンスする+来る-PAST
　　　　　「(その人たちは)ここにパフォーマンスをしに来た。」

Praat でピッチ曲線を切り出した(8)と(10)の図を対照的に示しておく。

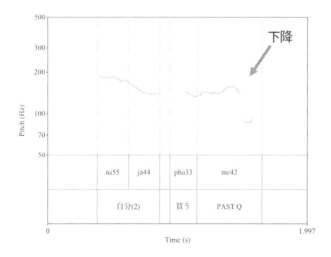

図4: 過去標識に極端なピッチ下降が見られる例 (8) [W 氏の発音]

106

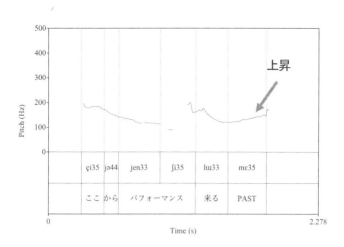

図5: 陳述文中の過去標識が見られる例 (10) [W氏の発音]

図4と図5を比べてみよう。図4ではピッチ曲線が一部切れてしまっているが、明確に下降していることがわかる。一方で、図5では文末においてわずかながらピッチの上昇が確認できる。図4に見られる極端なピッチ下降は、(3)と同様に、(8)においても四角で囲まれた部分が焦点であることを示している。

　これまで見たように、チノ語においては文中で語彙的に指定された下降調ではなく、イントネーションによる極端なピッチ下降が生じている事例においては、当該部分に焦点が置かれていると考えられる。

4　形態的ストラテジー

　続いて形態的ストラテジーによる焦点表示の例を見ていこう。

4.1　文末助詞 -ŋɔ⁴²

　文末助詞 -ŋɔ⁴² は林(2009)などですでに筆者は「詠嘆あるいは軽い確認などを示す」と記述していた。しかし、この記述はニュアンスを表面的に捉えた不十分な分析に過ぎないと考えられる。その後の収集データを含めて総合的に検討し直すと、述語における焦点標識であると考えることができる。(11)(12)を見ていこう。

(11) ji⁵⁵ʃi⁵⁵   ŋa⁵⁵vɛ⁵⁵   a⁵⁵phi⁵⁵   jo³³kha³³   ʃi⁴⁴-vu⁴⁴,

昔   1PL.POSS   祖母   年寄り   死ぬ-SBRD

ŋ̍⁵⁵-sɯ⁴⁴   pa⁵⁵+le⁴⁴-mɛ³⁵   khɤ³³-lo³³   tʃə⁴⁴-tə³³-mɛ³⁵.

2-CLF   持ち上げる+行く-PAST   あれ-ように   いる+飲む-PAST

ji³³tɕɛ⁴⁴   ŋu⁵⁵-**ŋɔ⁴²**.   khai⁵⁵ʃui⁴⁴   mɔ³³-ŋu⁵⁵-a⁴⁴.

生水   COP-SFP   湯   NEG-COP-SFP.

「昔、私たちの老人たちが死んだ頃、私たちは2つの桶を持ち上げて、
(彼らはそれを)飲んでいた。(それらは皆)生水だよ。お湯ではない。」

(12) çi⁵⁵=a⁴⁴=la⁵⁵   tʃao³³-mɤ⁴⁴,   thi⁵⁵.

ここ=PART=すなわち   炒める-NML   少し

khɤ³³=jə⁴⁴=la⁵⁵   xə⁵⁵tshø⁵⁵   tʃha³⁵-**ŋɔ⁴²**.   mi⁵⁵tso⁵⁵=la⁴⁴.

あそこ=から=すなわち   野菜   煮る-SFP   薪で

「ここで(野菜を)炒めるのだ、少し。あそこは野菜を煮る(ところ)だよ。薪で。」

(11)では四角で囲んだ「生水」が「昔、老人たちが飲んでいた」のであり、「お湯ではな
い」と述べている。これは一種の対比焦点(contrastive focus)と考えられる例である。
(12)も同様に、四角で囲んだ「煮る」が前文にある「炒める」と対比され、焦点化が行わ
れている。

4.2 疑問文と文内焦点のスコープ

　　疑問文末に現れる助詞も情報構造上焦点を明示化する機能を持つと捉え直すこ
とができる。チノ語には疑問文末に主として3つの助詞(-la⁴²/ -ŋa⁴²/ -a⁴⁴)が生起しうる。
これについてはすでに林(2007)で記述したが、本稿でも引用しておく。

(13) khɤ⁴²   to³³thə³⁵+to⁴⁴+lɔ⁴⁴-{**la⁴²**/ *ŋa⁴²/*a⁴⁴}?

3SG.NOM   起きる+出る+来る-Q

「彼/彼女は起きましたか?」(林 2007: 53, 例文表記を修正)

(14) khɤ⁴²   to³³thɔ³⁵+to⁴⁴+lɔ⁴⁴-{*la⁴²/ ŋa⁴²/*a⁴⁴}?

      3SG.NOM   起きる+出る+来る-Q

      「誰が起きましたか?」(林 2007: 56, 例文表記を修正)

(13)は真偽疑問文、(14)は疑問詞疑問文である。(13)では-la⁴² のみが、(14)では-ŋa⁴²
のみが生起しうる。一見すると、疑問文の種類によって明確な使い分けがあるようだ
が、詳細に検討すると、-la⁴² は文全体を焦点とする疑問文に用いられ、-ŋa⁴² は部分焦
点の疑問文に用いられるとまとめ直せる。⁹ 以下の例を見られたい。

(15) nə⁴²   mi⁵⁵tso⁵⁵   a⁵⁵to⁵⁵   m³³-{la⁴²/ ŋa⁴²}?

      2SG.NOM   薪   短い   要る-Q

      「君は短い薪がいるのか?」(林 2007: 66, 例文・グロス表記を修正)

(16) 答A: m³⁵./   ma³³-m⁵⁵.

              要る   NEG-要る

              「要る。」   「要らない。」(林 2007: 66, 例文・グロス表記を修正)

(17) 答B: a⁵⁵to⁵⁵./   jɔ⁵⁵ʃɯ⁵⁵.

              短い   長い

              「短いほう。」   「長いほう。」

              (林 2007: 66, 例文・グロス表記を修正)

  林(2007)の記述をここで整理しておく。(16)と(17)は(15)に対する答えであるが、
(16)は(15)の文末が-la⁴² の時の答えであるのに対し、(17)は(15)の文末が-ŋa⁴² の時の
答えである。チノ語も多くのアジア諸語と同様、文脈から補える情報は言語的に表現
しなくても良い。したがって、(16)も(17)も必要部分のみの応答となるが、(16)が文焦点

---

⁹ チノ語の疑問文末助詞の-la⁴²/-ŋa⁴²/-a⁴⁴ の使い分けは焦点の範囲だけではなく、先行要素の
統語範疇も関与する。-la⁴² は名詞述語・動詞述語双方に後続しうるが、-ŋa⁴² は動詞述語のみ
に、-a⁴⁴ は名詞述語のみに後続しうる。詳細は林(2007)を参照のこと。

の答えである[10]のに対して、(17)が部分焦点(この例では AF)の答えとなっていることがわかる。

　上記を踏まえると、(18)は真偽疑問文であるが、-ŋa[42] が生起でき、部分焦点の標識として機能していることが理解できる。

(18)　ŋi^{55}vɛ^{55}　　　lø^{33}+pɔ^{55}=ɛ^{55}　　　 $\boxed{\text{khʐ}^{33}\text{-lo}^{33}}$　　　 mɔ^{33}-ŋuu^{33}-**ŋa^{42}**?
　　　2PL.OBL　　遠称2類+方=POSS　あれ-ように　　NEG-COP-Q
　　　「あなたたちのところは(そもそも)$\boxed{\text{そのようで}}$はないのでしょう?」

(18)は自然発話の例である。対比的な文脈で、「私たちのところと違ってあなたたちの方法は違うのではないか」というニュアンスが込められている。(18)は$\boxed{\text{四角}}$で囲まれた部分(AF)に焦点を当てた疑問文である。

5　統語的ストラテジー

　音韻的ストラテジー・形態的ストラテジーのほかに、統語的ストラテジーも存在する。本節では順次記述しておきたい。

5.1 擬似分裂文 (pseudo-cleft sentences)

　チノ語にも擬似分裂文が認められる。通常の述部に-mʐ/-mɛ を付加して名詞節化し、文内の項を右方に移動する操作で擬似分裂文を形成する。(19)を見られたい。

(19)　ŋa^{55}vu^{44}　　　vɔ^{55}=ɛ^{55}　　　ji^{33}pu^{44}=la^{35}　　phi^{33}-**mɛ^{44}**　　　$\boxed{\text{a}^{55}\text{khrɔ}^{55}=\text{a}^{55}}$.
　　　1PL.NOM　　竹=POSS　　桶=で　　　背負う-NML　　川=PART
　　　「私たちが竹の桶を背負っていたのは川辺でだ。」

(19)では$\boxed{\text{四角}}$で囲まれた句がphi^{33}「背負う」よりも前の位置に置かれていたのを、右方に移動すると同時に、-mɛ^{44} が後続することで$\boxed{\text{四角}}$を除いた左の節全体が名詞節化さ

---

[10]　もちろん、(16)は述語のみの答えとなっているため、-la[42] は部分焦点(PF)の表示を行なっていると見なすことも可能である。本質的には PF と SF の区別が難しい場合が多いと言える。

れている。(19)では四角で囲まれた句を焦点化していることから、擬似分裂文はチノ語における焦点ストラテジーの1つ、とりわけ AF を表示する操作であると言えよう。

5.2 コピュラ

　続く(20), (21)も擬似分裂文であり、やはり四角で囲まれた部分が焦点化されていることがわかる。

(20)　ji^{55}n̥^{44}　　　　pa^{55}kha^{42}　　　　le^{44}-mɤ^{44}　　　　a^{55}san^{44}.
　　　昨日　　　　パカー(PLN)　　　行く-NML　　　アサン(PSN)
　　　「昨日パカーに行ったのはアサンです。」(Hayashi 2010: 21)

(21)　ji^{55}n̥^{44}　　　　pa^{55}kha^{42}　　　　le^{44}-mɤ^{44}　　　　a^{55}san^{44}　　　　ŋɯ^{33}-nœ^{44}.
　　　昨日　　　　パカー(PLN)　　　行く-NML　　　アサン(PSN)　　　COP-SFP
　　　「昨日パカーに行ったのはアサンです。」(Hayashi 2010: 21)

(20)と(21)はほぼ同一の内容を表す。異なる点は(21)では構造上コピュラ ŋɯ^{33} が AF に後続している点である。すでに Hayashi (2010)で分析したように、チノ語のコピュラは焦点化の機能を有する。[11] (21)は擬似分裂文と並行してコピュラによる焦点位置の明示化が行われていると言える。なお、実は 4.1 で見た(11)でもコピュラ ŋɯ^{55} を用いて焦点を表示していると見ることができる。[12] (21)と合わせて考えると、コピュラ単独では AF (名詞句)の表示をしていると考えられる。

　擬似分裂文ではない場合であっても、文末助詞と融合したコピュラによる焦点化が行われる例もある。(22), (23)を見られたい。

---

[11] Hayashi (2010)ではチノ語のコピュラが生起する要因としては大きく(A)形態統語的要因と(B)意味的・語用論的要因の 2 種類があり、前者は動詞接辞のホストを生起させる必要から、後者は (i) 高モダリティ、(ii) テンポラリティ、(iii) 焦点を表示させる必要性が関与すると記述している。

[12] (11)では -n̥ɤ^{42}の分析を中心にしたが、コピュラ ŋɯ^{55} も AF 表示に貢献していると考えることもできる。特に最終文は否定辞も付け加わっているが、「お湯」を対比焦点とする文であると考えられることから、コピュラによる AF 表示であるといえよう。

(22) khø³³xɔ⁴² | pa³³jɛ³³ ʃi³³uɯ³³   mɔ⁵⁵-khuɯ³³-a⁴⁴ |

それでは   8 月 15 日   NEG-到達する-PART

| le³⁵+ja⁴²-me⁴⁴ | **ŋa⁴².**

行く+しまう-FUT   COP.PART

「それでは(あなたは)中秋節[8 月 15 日]になる前に、去ってしまうんだ。」

(23) | khɤ⁴²   a⁵⁵tʃen⁴⁴   tjen³⁵ʃi³⁵   ku⁵⁵-tɛ⁴⁴+kja⁴²-me⁴⁴ |

3SG.NOM   アチェン(PSN)   テレビ   また-見る+きつい-FUT

ŋa⁴².   ji⁵⁵+thɤ⁴⁴-me⁵⁵   tho³³+lɔ³³-mjə⁴².

COP.PART   寝る-FUT   起きる+来る-SBRD

「アチェンはテレビをまたずっと見てしまうよ。寝て起きたら。」

(22), (23)において**太字**で示した ŋa⁴² は ŋuɯ⁵⁵＋a⁴⁴ が融合した語であるとみなせる。すなわち、コピュラ＋文末助詞である。(22), (23)はいずれも擬似分裂文ではない。ŋa⁴² の前に置かれている要素の末尾には-me という未来を表す接辞が置かれている。これは動詞複合形式に現れるが、いわゆる secondary nominalizer として動詞を名詞化する機能を有している。コピュラは名詞述語に後続することが多い。よって、-me を含む要素との共起は起こりやすいと考えられる。

(22), (23)はともに ŋa⁴² が生起しなくても成立する文である。にもかかわらず、ŋa⁴² が生起するのは、その直前位置を焦点として捉えているからだと考えられる。擬似分裂文と(22), (23)との違いは、前者が AF の位置を明示化しているのに対し、後者は ŋa⁴² よりも前の節全体を焦点化しており、SF の例であると考えられるところにある。(22)は発話者が筆者に対して行った発話である。筆者が現地を離れる日付を確認し、筆者が中秋節になる前に去ることを理解した上で述べられた発話であり、節全体を焦点化していると考えられる。(23)はアチェンの様子を見て、突如行った発話であり、やはり節全体が焦点となっていると考えるべきである。

さらに自然発話を調べると、節全体の直後に ŋa⁴² が生起することで、焦点化を行っていると考えられる例も散見される。(24), (25)を見られたい。

(24)

fɤŋ⁵⁵ʃi³³	nɔ⁴⁴-mɤ⁴⁴	khɔ³⁵=lœ⁴⁴	tʃə³³-a⁴⁴	ŋa⁴².
リウマチ	痛む-NML	どこ=も	いる-PART	COP.PART

「リウマチを患っている人はどこにでもいるよ。」

(25)

mɔ⁵⁵-prɔ⁵⁵+lɯ⁵⁵-sɯ⁴⁴-a⁴⁴	ŋa⁴².
NEG-明るい+くる-まだ-PART	COP.PART

「(街灯は)まだ明るくなっていないね。」

(24), (25)はともにŋa⁴²の直前に来る要素は文末助詞の1つである-a⁴⁴である。これは節境界を表示する機能を担っていると考えられる。この場合もŋa⁴²が直後に置かれることで、SFの明示化が行われている。(24)はリウマチや腰痛、関節の痛みなどの高齢者に見られる苦痛を話している中で出された発話である。ここではリウマチの患者の遍在について焦点化を行なっていると言えよう。(25)については発話者が外の様子を見て、突如行った発話であり、まさに文全体が焦点化されていると言える。

　ここで扱ったŋa⁴²と類似している形式について先行研究である盖(1986)も扱っている。以下、(26), (27)について盖(1986: 54)から引用しておこう。

(26)

ɕe³³	ɤ³³	nə⁴²	pə⁴²	se⁵⁵	mɛ⁵⁵ ¹³	ŋə³⁵	ɑ.
これ	PART	あなた	殴る	殺す	PART	COP	

「これはあなたが撃ち殺したものだ。」(盖 1986: 54, グロス・日本語訳は筆者による)

(27)

tʃɑ⁴²lœ³³,

ɕe³³	ɤ³³	nə⁴²	pə⁴²	se⁵⁵	mɛ⁵⁵	ŋa⁵⁵!
あらまあ これ	PART	あなた	殴る	殺す	PART	COP

「あらまあ、これはあなたが撃ち殺したものか!」(盖 1986: 54, 四角囲みとグロス・日本語訳は筆者による)

---

¹³ このmɛ⁵⁵も(22), (23)で見た-meと同様に、名詞化の機能を担っていると考えられる。本稿で扱った下位方言についてはすでに5.1 冒頭で簡単に触れた -mɤ/-mɛ に相当する。詳細については林 (2006), 蒋 (2010: 182-183)などに記述がある。

盖(1986: 54)の例と説明から(26)と(27)を対比できる。(26)は「肯定式」(肯定文)とする一方、(27)は「感嘆式」(感嘆文)と呼んでいる。漢語訳などから判断するに、(27)は(26)に比べて驚きのニュアンスが表現されている。形式を交替させた ŋɑ⁵⁵ が感嘆詞 tʃɑ⁴²lœ³³「あらまあ(哎哟)」と呼応しているように見える。文脈などの説明が盖(1986: 54)では一切なされていないので、詳細な点は不明だが、おそらく 四角 で囲んだ部分全体が焦点であるとみなせるのではないだろうか。[14]

6　おわりに―まとめにかえて

　以上、本稿では筆者の得た一次資料をもとに、Lambrecht (1994)の焦点ドメインの概念との対応を意識しながら、チノ語の焦点表示がどのようになされるのかを記述してきた。チノ語は音韻的・形態的・統語的といった 3 つのストラテジーを用いるが、その具体的な内容を整理すると、以下のようにまとめることができよう。この表では AF と PF を部分焦点に、SF を文焦点としてまとめる。

---

[14] 蒋(2010: 182)で記述する jɑ⁵⁴ の生起は本稿で扱う ŋɑ⁴² や盖(1986)の ŋɑ⁵⁵ と類似した現象と考えられる。蒋(2010: 182)では「名詞化節の後ろに置き、「強調」を表す」と述べ、以下のような例を提示している。

xji³³	a⁴⁴mɛ³³ a⁴⁴kje⁴⁴	nʌ³¹	va⁴⁴	thɔ⁴⁴	mʌ⁴⁴	mɤ³³/⁴⁴	jɑ⁵⁴.
これ	おかず	2SG	PART	残す	PART	PART	PART

「おかずはあなたのために残しておいたものだ」

　(蒋 2010: 182, 四角 囲み・グロス・日本語訳は筆者による)

蒋(2010: 182)では当該現象は「名詞化節+jɑ⁵⁴」の構造を取ると述べている。上記の例では四角で囲んだ部分が名詞化された節(「あなたのために残しておいたもの」)となる。筆者の調査資料では jɑ⁵⁴ の存在は確認できない。しかし、筆者の理解では、おそらく jɑ⁵⁴ をこの例から取り除いても文として成立すると推定される。蒋(2010: 182)では jɑ⁵⁴ のここでの機能を「強調」と述べているが、おそらく本稿で言うところの PF 表示機能として認定すべきものではないかと考えられる。

表1: チノ語の焦点表示のストラテジーと焦点ドメイン

ストラテジーのカテゴリ	チノ語の手法	焦点ドメイン
音韻的ストラテジー	焦点位置の直後に極端なピッチ下降を付与	部分焦点[AF/PF]
形態的ストラテジー	[1] 文末助詞 -$ŋɔ^{42}$	部分焦点[AF/PF]
	[2] 疑問文末助詞 -la^{42}	文焦点[SF]
	[3] 疑問文末助詞 -$ŋa^{42}$	部分焦点[AF/PF]
統語的ストラテジー	[1] 擬似分裂文	部分焦点[AF]
	[2] $ŋɯ^{55}$	部分焦点[AF]
	[3] $ŋa^{42}$	文焦点[SF]

表 1 ではストラテジーのカテゴリという形式的な側面から焦点ドメインとの対応関係を探ったが、発話行為の文タイプ・基本構成素順序などとの関係をふくめて焦点ドメイン側からのストラテジーの対応状況を模式化すると下の図 6 のようにも描ける。

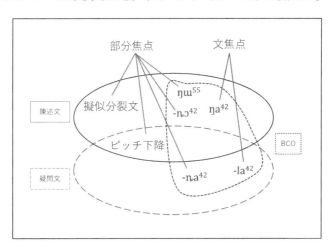

図6: チノ語の焦点ドメイン・ストラテジー・発話行為による
文の種類・基本構成素順序の相関関係

図6は現時点での分析を整理したものである。部分焦点と文焦点から見直すと、ストラテジーとの対応関係は比較的明確に区分される。ŋa⁴² と-la⁴² は文焦点とつながるが、それ以外は部分焦点と対応する。また本稿で取り扱った ŋɯ⁵⁵, -nɔ⁴², -ŋa⁴², ŋa⁴², -la⁴² が用いられる文はいずれも基本構成素順序(Basic Constituent Order, BCO)を守ったグループである一方で、擬似分裂文はそうではない。ピッチ下降は語順の問題とは関わらない。

　この図6を言い換えるとこうなるだろう。部分焦点を表示したい場合、陳述文においては擬似分裂文、ピッチ下降, -nɔ⁴², コピュラ ŋɯ⁵⁵ の4種がストラテジーとして用意される。語順を変更する場合は擬似分裂文を、基本構成素順序で行くのであれば-nɔ⁴²を用いれば良い。ピッチ下降は特別な形態素や語順変更を用いずに、焦点を明示化する手法と言える。またコピュラ ŋɯ⁵⁵ は通常名詞句の AF に用いられる。

　他方、文焦点の表示では2種類の方法があるが、陳述文なら ŋa⁴²、疑問文なら-la⁴² が用意されている。基本的には、発話行為に基づいて使い分けがなされると言える。

　残された問題を含め、今後は様々な研究の必要性が見出される。チノ語の記述としては声調とイントネーションのインターフェースの問題を見据えながら、話題を含めた情報構造との相関関係を詳細に分析することが今後必要である。

　対照言語学的研究としては、日本語学の成果を取り入れることも検討すべきかもしれない。野田 編(2019)は日本語学の「とりたて」表現の分析を他の言語に適用し、各言語間の異同を記述しており、井上(2019)や峰岸(2019), 桐生 (2019)などがアジア諸語におけるとりたて表現の分析を展開している。焦点構造との関連も深いため、詳しく検討する価値はある。また言語類型論の分野では風間(2019)のように語順と情報構造の相関性について、SVO では文焦点で、SOV では項焦点でむしろ統語的操作が必要だとの主張がなされている。風間(2019)はプロソディーとの関連性を含められなかったようであるが、今後多くの記述言語学の成果から上記主張の検証も必要となるだろう。

　チノ語の属するチベット・ビルマ諸語では、音節あるいは語を単位とする声調の分析や文法の基本構造の記述がこれまで研究の中心であった。イントネーションや情報構造の記述ならびに相互の関係性に関する研究は比較的最近になって増加して

きたと言ってよい。[15] 近隣諸言語の有用な分析の助けを得ながら、引き続きチノ語の情報構造の記述を進めていきたい。

略号一覧

CLF: 類別詞, COP: コピュラ, EXP: 経験, FUT: 未来, NEG: 否定, NML: 名詞化標識, NOM: 主格, OBL: 斜格, PART: 助詞, PAST: 過去, PL: 複数, PLN: 地名, POSS: 所有格, PSN: 人名, Q: 疑問, SBRD: 従属節標識, SFP: 文末助詞, SG: 単数

参考文献

Donlay, Chris (2019) *A Grammar of Khatso*. Berlin: Walter de Gruyter.

盖兴之 (1986) 《基诺语简志》 北京: 民族出版社.

Gussenhoven, Calros (2004) *The Phonology of Tone and Intonation*. Cambridge: Cambridge University Press.

林範彦 (2006)「チノ語の-mɣ の「多機能性」−漢蔵語と対照しながら−」『京都大学言語学研究』25: 67-104.

林範彦 (2007)「チノ語の疑問文末に現れる 3 つの助詞について」『言語研究』131: 45-76.

林範彦 (2009)『チノ語文法(悠楽方言)の記述研究』神戸: 神戸市外国語大学外国学研究所.

Hayashi, Norihiko (2010) A Brief Description of Youle Jino Copula. 『アジア言語論叢 8』pp. 1-25. 神戸: 神戸市外国語大学外国学研究所.

---

[15] チノ語の属するロロ・ビルマ諸語の中ではビルマ語の分析が比較的進んでいる。Simpson and Watkins (2005)や Ozerov (2015)が代表格と言えよう。特に焦点とプロソディーとの関係を扱った Simpson and Watkins (2005)はビルマ語における焦点位置に対して音声産出テストと聴覚テストの両面からアプローチしており、焦点要素ではF0 値・振幅数・音節長のいずれにおいても増加が見られることを実証している。

また、ロロ系諸語でも Donlay (2019)が記述する中国雲南省のカツォ語(喀卓语/卡卓语, Khatso)では la35 が対比焦点を表示する形態素として述べられているが、他方焦点要素の直後ではさまざまな機能語が上昇調に変調する focus tone が認められる。チノ語の下降調と曲折の方法が異なるところは興味深い。

井上優 (2019)「中国語のとりたて表現」野田尚史(編)『日本語と世界の言語のとりたて表現』pp. 111-128. 東京: くろしお出版.

蒋光友 (2010) 《基诺语参考语法》 北京: 中国社会科学出版社.

風間伸次郎 (2019)「語順と情報構造の類型論」竹内史郎・下地理則 (編)『日本語の格標示と分裂自動詞性』pp. 141-175. 東京: くろしお出版.

桐生和幸 (2019)「ネワール語のとりたて表現」野田尚史 (編)『日本語と世界の言語のとりたて表現』pp. 183-199. 東京: くろしお出版.

Lambrecht, Knud (1994) *Information structure and sentence form: Topic, focus and the mental representations of discourse referents.* Cambridge: Cambridge University Press.

Lambrecht, Knud (2000) When Subjects Behave like Objects: An Analysis of Merging S and O in Sentence-Focus Constructions across Languages. *Studies in Language.* 24.3: 611-682.

峰岸真琴 (2019)「タイ語のとりたて表現」野田尚史 (編)『日本語と世界の言語のとりたて表現』pp. 129-144. 東京: くろしお出版.

野田尚史 (編)(2019)『日本語と世界の言語のとりたて表現』東京: くろしお出版.

Ozerov, Pavel (2015) Information structure without topic and focus: Differential Object Marking in Burmese. *Studies in Language.* 39.2: 386-423.

Selkirk, Elisabeth (1995) Sentence Prosody: Intonation, Stress, and Phrasing. In John A. Goldsmith (ed.), *The Handbook of Phonological Theory.* pp. 550-569. Oxford: Blackwell.

Simpson, Andrew and Justin Watkins (2005) Focus in Burmese: an investigation and experimental study of information structure and prosody. In Justin Watkins (ed.), *Studies in Burmese Linguistics.* pp. 27-66. Canberra: Pacific Linguistics.

高見健一 (1995)『機能的構文論による日英語比較―受身文, 後置文の分析―』東京: くろしお出版.

竹内史郎・松丸真大 (2019)「京都市方言における情報構造と文形態」竹内史郎・下地理則 (編)『日本語の格標示と分裂自動詞性』pp. 67-102. 東京: くろしお出版.

チワン語の情報構造について
Information structure in Zhuang language

黄　海萍（国立国語研究所）

Haiping HUANG (National Institute for Japanese Language and Linguistics)

要　　旨

　　本稿では、チワン語龍茗方言の情報構造の中、特に主題化と焦点化について検討する。まず、機能主義的な立場から主題と主題化について記述と分析を行った結果、次の二点が判明した。チワン語龍茗方言では、 1) 目的語、着点、文頭に位置しない主題・主語名詞句などを左方に移動して主題化する。 2) 文頭の主語名詞句および時空間を表す副詞句は主題標識 ni:1 を付けて対比的に主題化する。さらに、焦点構造の持つ構文的特徴と焦点機能の記述ならびに分析から、以下の二点を明らかにした。チワン語龍茗方言では、 3) 焦点標識 cɤɯ4 を構成素の左側に付けて焦点化する。 4) 構成素を右方に移動することによって情報の焦点を表す。

キーワード： チワン語，情報構造，主題化，焦点化，主題・焦点標識

1　はじめに

　　本稿の目的は、チワン語龍茗方言（以下、龍茗方言）の情報構造の中で、特に主題化と焦点化に関わる文構造の諸特徴と機能を明らかにすることである。情報構造に関する調査は、主にチワン語と同じタイ・カダイ語族に属するタイ語（Thai language）の情報構造について調査した峰岸 (2019) の「情報構造調査票 Ver.1」に基づいて行った。特に焦点の文法構造については、2 名の龍茗方言話者(筆者の祖母:1941 年生、筆者の父:1962 年生)による用例を対象とし、これに加えて龍茗方言母語話者である筆者による作例も利用する。

　　本稿の表記は、黄 (2018a, 2018b) の音素表記に従い、声調を示す 1〜5 の数を音節ごとに付す。また、本稿の例文で使う角括弧 ［　］は「SVO の語順が維持されていること」を、丸括弧（　）は「省略可能であること」を、太字括弧【　】は

「文脈的な情報を示すこと」を意味する。例文の動詞を太字で示す。

2 チワン語の基本語順

龍茗方言は孤立語に属する言語である。文の意味は語順や文法情報を示す機能語によって決まる。以下に龍茗方言の基本語順と基本的な構文を挙げる。

2.1 一項あるいは二項を含む基本構文： SV(O)

龍茗方言の文の基本語順は「主語＋動詞＋目的語」(SVO) または「主語＋動詞」(SV) である。「主語」とは叙述する事象の一義的な参与者であり、叙述動詞の左側に現れる。「目的語」は二義的な参与者として叙述動詞の直後に現れる。完結した意味を持つ一つの発話あるいは文は、ある一義的な参与者が主語＝主題となって、それに関わる叙述が行われる。

(1) [tu:1　　nok4　**ɓin2**].　［S-V］
　　類別詞　鳥　　飛ぶ
　　「鳥が飛ぶ。」

(2) [(ŋo:4)　**hɤɯ5**　(θɤɯ1)].　［S-V-O］
　　私　　あげる　本
　　「私が本をあげる。」

例 (1) のように主語が人や物などの場合は、原則として「主語＋動詞」の語順で現れる。ただし、天候・気象現象の表現には SV のみ、SV/VS ともに可能、VS のみを許す三種類の表現がある[1]。例 (2) では、「主語＋動詞＋目的語」(SVO) で一つの意味が完結する事象を述べているが、文脈によって主語あるいは目的語を省略することができる。

---

[1] 例えば、「空が晴れる」は必ず fa:5 **ɗe:t3**「空＋晴れる」［S-V］であるが、「雨が降る」は pʰɤn1 **tok4**「雨＋降る」［S-V］または **tok4** pʰɤn1「降る＋雨」［V-S］であり、また「雪が降る」は必ず **loŋ2** θe:2「下りる＋雪」［V-S］といった語順を取る。

120

2.2 やりもらい文

やりもらい表現においては二つの構文が存在する。一つ目は、動詞「与える」の後に間接目的語と直接目的語という、二つの補語を何の文法的指標も介在させることなく並列する「主語 (S) ＋動詞「与える」(V) ＋与えられるヒト(間接目的語：IO)＋与えるモノ(直接目的語：DO)」という形である。二つ目は、「主語＋動詞 ① (V1) ＋与えるモノ(直接目的語)＋動詞 ②「与える」(V2) ＋与えられるヒト(間接目的語)」という、一つの動詞に一つの補語を置いた動詞連続の形である。動詞 ① は与えるに至る際の具体的な動作を表す動詞であり、また具体的動作が特定できない場面では ʔaw2「取る」が用いられる。

(3) [ŋo:4　**hɤɯ5**　de:ŋ2]　θɤɯ1. [S-V-IO-DO]
　　私　　あげる　　デーン　　本
　　「本を私がデーンにあげた。」

(4) [ŋo:4　**ʔaw2**　θɤɯ1]　**hɤɯ5**　de:ŋ2. [S-V1-DO-V2-IO]
　　私　　取る　　本　　あげる　デーン
　　「私は本を持ってデーンにあげた。」

与えるモノ(直接目的語)のみを述べる場合は、「主語＋hɤɯ5「与える」＋モノ」(S-V-DO) あるいは「主語＋ʔaw2「取る」＋モノ＋hɤɯ5「与える」」(S-V1-DO-V2) という動詞連続構造が用いられる。与えられるヒト(間接目的語)のみを述べる場合は、「主語＋hɤɯ5「与える」＋ヒト」(S-V-IO) あるいは「主語＋ʔaw2=hɤɯ5「取って与える」＋ヒト」(S-V-IO) という構文が用いられる。この場合の ʔaw2=hɤɯ5「取って与える」は複合動詞として用いられ、動詞連続ではなくなる。

2.3 動詞連続構造

龍茗方言は「複数の動詞が連続して一つの節の述部として現れ、かつ動詞間の関係を示す標識を伴わない構造」、いわゆる「動詞連続」が認められる。龍茗方言の動詞連続における動詞(句)間の意味関係は一層の検討を要するが、概ね継起的事象と非継起的事象に分けることができる。例えば、例 (5) は継起的事象であり、例 (6) は非継起的事象である。

(5) [te:1 **pɤj1** ɯa:ŋ4] [**θɤɯ5** pja:1]. [S-V1- O(補語)-V2-O]

　　 彼女　行く　市場　　買う　魚

　　「彼女は市場に行って魚を買う。」

(6) [te:1 **jo:ŋ4** pit4] [θi:5 θɤɯ1]. [S-V1- O1 -V2-O2]

　　 彼女　用いる　ペン　書く　字

　　「彼女はペンで字を書く。」

　例 (5) は、動詞句①「市場に行く」と動詞句②「魚を買う」の事象が「V1 してから V2 する」という二つの継起的な出来事を表している。一方の例 (6) は、動詞句①「ペンを用いる」と動詞句②「字を書く」の事象が同時に起こっており、動詞句①は動詞句②の手段を述べている。

3　チワン語の主題化:左方転移

　上述したように、龍茗方言の基本語順は SV(O) である。左方転移は、基本語順における文の構成素が文頭に転移することで、文の明示的主題として機能する。主題化された構成素は話し手、また聞き手にとっても既知のものごと(旧情報)であり、対比的な意味を持つ。

　目的語を持たない一項動詞を用いた文では、目的語の左方転移は当然不可能である。以下では、二項動詞の目的語と着点の左方転移および主語の主題化について述べる。

3.1 目的語の左方転移

　目的語は一般に動詞の直後に置かれるが、主語は動詞に先行する。

(7) a. [te:1 **to:k4** cʰe:k3 θɤɯ1 ne:4]. （無標）

　　 彼女　読む　類別詞　本　この

　　「彼女はこの本を読む。」

　 b. cʰe:k3　θɤɯ1　ne:4　[te:1　**to:k4**]. （有標）

　　 類別詞　本　この　彼女　読む

　　「(この) 本は、彼女が読む。」【これ以外の本は彼が読む、など】

(7)a は目的語 cʰe:k3 θɤɯ̩1 ne:4「この本」が動詞 to:k4「読む」の直後にあり、主語 te:1「彼女」がそれらに先行するという無標な基本語順を有する。 (7)b は目的語が主語の前、つまり語頭に置かれている。目的語が本来の無標の位置から左方転移によって主題化されている。「本」は他の書物、新聞や手紙などと対比された意味を持つ。

　また、やりもらい表現の直接目的語および間接目的語は、ともに左方転移により主題化が可能である。

(8) a. θɤɯ̩1　　[ŋo:4　**hɤɯ̩5/ʔaw2=hɤɯ̩5**　　ɗe:ŋ2].　　DO [S-V-IO]
　　　　本　　　私　　与える/取って与える　　デーン
　　　「本は（私が）デーンにあげた。」【鉛筆は、キアウにあげた。】

　　b. ɗe:ŋ2　　[ŋo:4　**hɤɯ̩5**　θɤɯ̩1].　　IO [S-V- DO]
　　　　デーン　私　　与える　本
　　　「デーンには（私が）本をあげた。【キアウにはペンをあげた。】

　　b'. ɗe:ŋ2　　[ŋo:4　**ʔaw2**　θɤɯ̩1　**hɤɯ̩5**].　　IO [S-V1-DO-V2]
　　　　デーン　　私　　取る　　本　　与える
　　　「デーンには（私が）本を取って与えた。【キアウにはペンをあげた。】

　(8) a は、やりもらい表現の直接目的語の左方転移の例である。左方に転移された直接目的語は、対比的な主題として、「「本（直接目的語）は」デーンに与えられたが、それ以外のものはそうではない」ことを含意している。(8)b, b' はやりもらい表現の間接目的語が左方に転移されることを示す例である。直接目的語の主題化と同様に「【他の人にではなく】デーン（間接目的語）には」という対比の意味を持つ。

3.2 着点の左方転移
着点の補語は目的語とよく似ていて、移動動詞の直後に置かれる。

(9) a. [te:1　　**pɤj1**　ka:j1].　（無標）
　　　彼女　行く　街

「彼女は街に行く/行った。」

 b. ka:j1 [te:1 **pɤj1**]. （有標）

  街 彼女 行く

  「街は、彼女が行く/行った。」【畑には行っていない、など】

 (9) a は語順として無標である。一方、(9) b は着点の補語が移動動詞の直後にないという点で、語順としては有標である。目的語と同じように着点の補語が語頭に転移して主題化されている。

3.3 主語の左方転移

 主語はそれ以外の文構成素に比べて前（左方）に現れやすい。そのため、左方転移という現象自体があるかどうかを認定することは困難である。叙述内容が起こる時や場所の句は一般に「時空の場面設定子」として用いられ、主語に先行することが多いが、それらの語順が情報構造上の意味に与える影響については不明である。龍茗方言では、時制を表す文法的な標識はなく、過去、現在、未来の事象が同じ形の文になる。したがって、話し手が語られる事象が「いつ」起きたのかを最初に述べて、より円滑に聞き手に「いつ」のことであるかを伝達できると考えられる。

 (10) a. wan2-wa:2 [te:1 **pɤj1** ka:j1].

   昨日 彼女 行く 街

   「昨日は、彼女が街に行く/行った。」

  b. [te:1 wan2-wa:2 **pɤj1** ka:j1].

   彼女 昨日 行く 街

   「彼女は、昨日街に行く/行った。」

  c. [te:1 **pɤj1** ka:j1] wan2-wa:2.

   彼女 行く 街   昨日

   「彼女は街に行く/行った、昨日。」

 (10) a, b とも話し手の方から、新しい話題を取り上げて、話を切り出す時に用い

得る表現で、自然な文である。ともに文頭に来る要素が主題として提示されている。両者の区別は、(10) a は wan2-wa:2「昨日」がすでに話題に出て、話し手が聞き手に「昨日に起こったこと」について述べる時、「昨日は何があったか」、「昨日は彼女が何をしたか」といった質問の応答にも用いる。(10) b は te:1「彼女」がすでに話題にあり、その流れで話し手が聞き手に「彼女に起こったこと」について述べる時、あるいは「彼女は何をしたか」、「彼女は昨日どこに行ったか」といった質問に答える時に使用する。これに比べて (10) c は容認できるが、wan2-wa:2「昨日」を言い忘れて言い足したような印象である。

3.4 主題標識

　主語がすでに文頭に位置しており、語順の変動はない時、主題と主語の区別が付かない場合もある。主語を情報構造として有標にするには、主語の直後に ni:1 を置くことによって表す。ni:1 は「〜というものは」、「〜については」という意味で、名詞句を明示化する機能があることから、ni:1 は主題標識 (Topic Marker: TM) と見なすことができる。

(11) [ŋo:4　ni:1　**pɤj1**　na:2],　[te:1　ni:1　**pɤj1**　ka:j1].
　　　私　TM　行く　畑　　彼女　TM　行く　街
　　　「私は畑に行く/行ったが、彼女は街に行く/行った。」

　また、すでに文頭に位置する時間 (12) と場所 (13) を表す副詞句も主語と同様、主題標識 ni:1 を用いることによって、対比的に主題化することができる。

(12) [wan2-wa:2　ni:1　**pɤj1**　na:2],　[wan2-ne:4　ni:1　**pɤj1**　ka:j1].
　　　昨日　　　TM　行く　畑　　　今日　　　TM　　行く　街
　　　「昨日は畑に行く/行ったが、今日は街に行く/行った。」

(13) [ʔin5-ne:4　ni:1　**mɤj2**　ŋa:2],　[ʔin5-te:1　ni:1　**mɤj2**　kʰaw5].
　　　ここ　　　TM　ある　胡麻　あそこ　　TM　ある　米
　　　「ここには胡麻があるが、あそこにはお米がある。」

4 チワン語の焦点構造

　龍茗方言には、他のタイ諸語同様、焦点構文が存在し、焦点化された要素が明示的に標示される。龍茗方言の焦点は主語、主題より後ろの、動詞の直後に来る「言いたいこと」(新情報)である。原則として、文の右方あるいは文末に置くことで焦点化される。

　本節では、龍茗方言における焦点標識 (Focus Marker:FM) cɤɯ4 を用いた焦点構造 (cɤɯ4 焦点構文とする)の構文的特徴を記述し、焦点標識を用いない焦点構造についても述べる。ここでは「焦点標識を用いない焦点構造」という表現を「焦点を表す名詞句が右方に移動して文の明示的焦点として機能することによって焦点化される構造」という意味に限定して使用する。なお、焦点標識を用いないが、声の高低、ポーズやイントネーション、構成素の重複などの要素も焦点構造に関わると考えられるが、本稿ではそのような要素については触れない。

4.1 龍茗方言 cɤɯ4 焦点構文の特徴

　チワン語北部方言の一つである燕斎方言には、焦点化する語句を右方に移動するとともに焦点標識 tɯɯk⁵⁵ を用いる焦点構造がある (韋・何・羅 2011:289-290)。しかし、龍茗方言では、語順の変更を伴わずに、焦点標識 cɤɯ4 を焦点とする要素の直前に置くだけでも焦点化することができるという特徴が見られる。

　龍茗方言の cɤɯ4 焦点構文では、焦点標識と焦点ドメインの関係は以下のように一般化できる。すなわち、焦点標識は焦点ドメインの構成素の直前に置く。文焦点であれば文頭の構成素(典型的には主語)の前に、項焦点であれば項そのものの前に、述語焦点であれば述語動詞の前に置く。このように、龍茗方言の焦点標識は「どこに」焦点があるのかを標示していると言える。焦点標識は一つの節につき 1 回のみ出現できる。

　文中のどこに焦点があるかという焦点ドメインの観点から、以下では、文全体に焦点がある文焦点 (sentence focus) 、特定の項に焦点がある項焦点 (argument focus) 、述語に焦点がある述語焦点 (predicate focus) に分け、それぞれの焦点ドメインについて分析を行う。

4.1.1 文焦点 (Sentence Focus)

　文焦点は、文全体が新情報であり、文全体が焦点ドメインに入っている情報構造である。龍茗方言の特徴として、文焦点であっても焦点標識が必ずしも必須ではない点が挙げられる。話し手にとって、話す内容が確実な事実であると思われる場合、焦点標識を用いる傾向があるが、そうではない場合は焦点標識を用いないこともある点に注意されたい。

(14) hat4-raŋ1　　[po:4　　**mɤj2**　　ŋɤn2　　ja:3] ?
　　 なぜ　　　　否定辞　　ある　　お金　　完了
　　「なんでお金がなくなっているか。」

(15) a. cɤɯ4　[wan2-wa:2　ke:n5　**pɤj1**　**to:5**]　**θɤɯ1**　le:w　　ja:3.
　　　 FM　　昨日　　　　　ケン　行く　賭博　負ける　全部　　完了
　　　「昨日はケンが賭博に行って全部負けてしまったのだ。」

　　 b. cɤɯ4　[ke:n5　wan2-wa:2　**pɤj1**　**to:5**]　**θɤɯ1**　le:w　　ja:3.
　　　 FM　　ケン　昨日　　　　行く　　賭博　　負ける　全部　完了
　　　「ケンが昨日賭博に行って全部負けてしまったのだ。」

　(14) の質問に対する答え (15) a, b は文焦点である。(15) a の発話は焦点標識を文頭の主題の直前に置くパターン、(15) b の発話は焦点標識を文頭の主語の直前に置くパターンであるが、両方とも基本語順が保たれている。また、(15) a, b の発話は話し手にとって確信した事実であるため焦点標識が使用されている。

4.1.2 項焦点 (Argument Focus)

　項焦点は、項 (S, V, O) および副詞句などの構成素に焦点が置かれる情報構造である。上述のように、焦点標識は焦点ドメインの構成素の直前に置く。項焦点の場合は、焦点ドメインが項（通常は構成素が一つ）であるから、その構成素の直前に焦点標識を置く。

　例えば、(16) と (17) では、情報構造上の焦点ドメインが名詞句あるいは副詞句の全体であるから、焦点標識が名詞句あるいは副詞句の直前にのみ生じる。(16) で、「彼女の祖母の家」は情報構造上の焦点（下線部）であるため、焦点標識

は項（上位の名詞句）の直前に生じる。(17) で、「新しい市場で」は情報構造上の焦点（下線部）であるため、焦点標識は項（上位の副詞句）の直前に生じる。

(16) [ɓɯ:n2-wa:2　cɤɥ4　rɯ:n2　ta:j3　te:1　**mɤj2**　pʰɤj1　**tʰa:j1**].
　　　先月　　FM　　家　　祖母　彼女　ある　幽霊　死ぬ
　「先月、葬式があったのは**彼女の祖母の家**だ。」

(17) [wan2-wa:2　te:1　cɤɥ4　jɤw3　ɥa:ŋ2　maɥ3　**θɤɥ5**　kʰaw5].
　　　昨日　　彼女　FM　　で　　市場　新しい　買う　米
　「昨日彼女が**新しい市場**でお米を買ったのだ。」

　また、文頭の主題・主語も項焦点となり得る。しかし、4.1.1 節で文焦点について述べたように、焦点標識は文頭の主題・主語に置いて文焦点を表すが、主題・主語が焦点となる場合も、同様に主語の直前に焦点標識を置く。さらに、(17)'のように主題・主語を右方＝語末に転移してからその主題・主語（下線部）の直前に焦点標識を付与することによって、項（主題・主語）焦点を表すこともできる[2]。

(17)' a. [te:1　jɤw3　ɥa:ŋ2　maɥ3　**θɤɥ5**　kʰaw5]　cɤɥ4　wan2-wa:2.
　　　　彼女　で　　市場　新しい　買う　米　　　FM　　昨日
　　　「彼女が新しい市場でお米を買ったのは**昨日**だ。」

(17)' b. [wan2-wa:2　jɤw3　ɥa:ŋ2　maɥ3　**θɤɥ5**　kʰaw5]　cɤɥ4　te:1.
　　　　昨日　　で　　市場　新しい　買う　米　　　FM　　彼女
　　　「彼女が新しい市場でお米を買ったのは**彼女**だ。」

　一方、語順を変化させずに主題・主語の直前に焦点標識を付与する形が多く使われる事実がある。その場合、文焦点なのか主題・主語なのかについての判断は、声の高さ、ポーズ、イントネーション等に関わると考えられ、その解明は今後の研究課題である。

---

[2] この特徴は燕斎方言と同じである（韋・何・羅 2011:289-290）が、龍茗方言ではアリバイ確認をするような堅苦しい感じがしてあまり使わない。

4.1.3 述語焦点 (Predicate Focus)

　述語焦点構造は、主語が主題になっていて、それ以外の要素(他動詞文の場合は目的語を含む要素)が述部をなし、その述部が新情報として焦点になっている構造である。龍茗方言の自然談話では述語焦点が大多数を占めていると思われる。下地 (2018:301-302) によれば、通言語的に述語焦点が最も普通の情報構造であると言われている。したがって、焦点標識を持つ言語であっても、情報構造的に無標な述語焦点に対して特別な焦点標識を取らない場合が多い。龍茗方言の場合も、述語焦点は原則として、述語動詞の直前に焦点標識を置くことによって文の明示的焦点を表すが、述語左端の構成素に焦点標識を置かない場合も多い。また、述語焦点は基本的に右方(文末)に置くことで焦点化されるので、述語よりも後に副詞句(例文 (18)[3] の下線部の副詞句)を置いてはいけない。 (19)は述語焦点構造で文末の疑問詞を焦点とする場合である。話者 A の質問文は述部の目的語を WH 疑問文で問う文であり、応答者 B の文において述語焦点(焦点ドメインを< >で標示)を誘発する。中でも B. a, b の文は A の質問文に対する話者 B の返答として適格な述語焦点構造の文であるが、B. c は不適格な応答文である。

(18) a. te:1　<u>jɤw3　ɯa:ŋ2　maɯɕ3</u>　[**θɤɯ5**　cʰe:1　ɗe:ŋ2].
　　　　彼　　で　　市場　　新しい　　買う　　車　　赤い
　　　「彼は新しい市場で**赤い車を買った**。」

　*b. [te:1　**θɤɯ5**　cʰe:1　ɗe:ŋ2]　<u>jɤw3　ɯa:ŋ2　maɯɕ3</u>.
　　　　彼　　買う　　車　　赤い　　　で　　市場　　新しい

(19) A. [te:1　**θɤɯ5**　ka:4-raŋ1]?
　　　　彼　　買う　　何【疑問】
　　　「彼は**何**を買ったの。」

　B. a. [<**θɤɯ5**　cʰe:1>].
　　　　買う　　車
　　　「車を買った。」【V-O, 確信した回答】

---

[3] 例 (18) は鈴木（2020:65）のラオ語の例 (51) を参考に作例したものである。

129

b. cʁɰ4　[<θʁɰ5　cʰeː1>]　kaːj3.

　　FM　　買う　車　　語末助詞

「**車を買った**のだろう。」【やや確信した回答であり、語末助詞 kaːj3 は語気を和らげるためによく用いられる。 kaːj3 を用いない場合は「車を買ったに決まっている」といった硬い語気となる。】

*c. θʁɰ5　　cʁɰ4　　　cʰeːl>]

　　買う　　FM　　車

「買ったのは**車**だ。」

4.2 焦点標識を用いない焦点構造

　4.1 節では、焦点標識 cʁɰ4 を用いた焦点構造について述べた。また、文のどこに焦点があるか、という焦点ドメインの観点から記述した。本節では、ある焦点ドメインが情報構造的にどのような機能を持つか、という焦点タイプの観点から焦点構造について述べる。龍茗方言の焦点構造には大まかに WH 焦点、WH 応答焦点、対比焦点の機能があると思われる。WH 焦点は、WH 語句そのものが焦点となるものである。WH 応答焦点は、疑問詞に応答する箇所を示すものである。また、対比焦点は、情報の修正などを行う箇所を示すものである。龍茗方言の WH 焦点は、焦点標識を用いなくても、名詞句や副詞句を焦点標示できる。以下では、疑問文における焦点について述べるが、疑問文の焦点に関連して、焦点標識 cʁɰ4 を用いた対比焦点についても触れておく。

4.2.1 When, Where 疑問文における焦点

　本節では、WH 焦点の内、「いつ、どこ」焦点に当たる部分が、文中のどこに置かれるか、またはどこに転移して焦点化されるかを考察する。「いつ、どこ」疑問文に対する返答（平叙文）は、WH 応答焦点である。

(20) a. [teːl　θʁj2-haɰl　**maː2**]?（項焦点：時間副詞）

　　　彼　　いつ　　　来る

　　「彼はいつ来るのか。」

a'. [te:1　**ma**:**2**]　θɤj2-hauɪ1? （項焦点：時間副詞）

　　彼　　来る　　いつ

　　「彼は来るのはいつだか。」

b. [kin1-le:ŋ2　**ma**:**2**].

　　午後　　　来る

　　「彼が午後に来る。」

b'. [kin1-le:ŋ2　θo:ŋ1　ti:m5].

　　午後　　　2　　時

　　「午後 2 時。」

　(20) a, a' は、時間に関わる副詞節を WH 焦点化した例である。いずれも疑問詞の θɤj2-hauɪ1「いつ」が使われる。(20) a に対する答えは (20) b, b' の両方とも適格である。一方、(20) a' は θɤj2-hauɪ1「いつ」を右方に転移することで (20) a よりも文の明示的焦点としているため、(20) a' に対する答えは (20) b' のみが適格である。WH 焦点に対応する (20) b, b' の文では、既知の情報が省略されることが普通である。

(21) a. [te:1　**pɤj1**　ʔi:5-hauɪ1　**ljɤw2-hjo:2**]? （項焦点：場所副詞）

　　　彼　行く　　どこ　　　　留学する

　　　「彼はどこへ留学に行くの？」

a'. [te:1　**pɤj1**　**ljɤw2-hjo:2**]　ʔi:5-hauɪ1 ? （項焦点：場所副詞）

　　　彼　　行く　　留学する　　　　どこ

　　　「彼は留学に行くのはどこか。」

b. [**(pɤj1)**　tʰa:j3-ko:2].

　　　行く　　　タイ国

　　　「タイ国（へ留学に行く）。」

b'. [**(pɤj1)**　tʰa:j3-ko:2　θi:ŋ3-mɤ:2].

　　　行く　　　タイ国　　　チェンマイ

　　　「タイ国のチェンマイ（へ留学に行く）。」

131

(21) a, a' は、場所に関わる副詞節を WH 焦点化した例である。両方とも疑問詞の ʔi:5-hau̯1「どこ」が使われる。 (21) a に対する答えは (21) b, b' の両方とも適格であるが、「どこ」を右方に移動して焦点化した (21) a' に対する答えとしては、(21) b では応答した情報に具体性が欠けているため、応答の情報が物足りない感がする。このため、 (21) b' のほうがより適格である。前述の時間副詞節と同じように、 (21) a' はʔi:5-hau̯1「どこ」を右方に転移することで、文の焦点を、より明確化できたと思われる。また、WH 焦点に対応する (21) b, b' の文では、既知の情報が省略されやすい。

4.2.2 Who, What 疑問文における焦点

本節では、WH 焦点の内、「誰、何」焦点に当たる部分が、文中のどこに置かれるか、またはどこに転移して焦点化されるかを見てみたい。

名詞句が主語の一項しかない場合、それを焦点化するために右方転移することができない。 (22)a、(23)a は ka:4-rau̯2/kʀn2-hau̯1「誰」と ka:4-raŋ1「何」が主語となっている疑問文であるが、疑問の焦点を転移して文末に置くことができない。その代わりに、 (22)b、(23)b のように焦点であることを明示する焦点標識 cʀu̯4 を前に置いて焦点化する。また、 (24) の文頭に mʀj2 (ある・いる)を置いて、存在文にすることにより、焦点が述語動詞の右方に位置することもできるが、日常会話ではあまり使わない。

(22) a. [ka:4-rau̯2/kʀn2-hau̯1　　**ma:2**]?　[S-V]
　　　　　　　　誰　　　　　　来る
　　　「誰が来たのか。」

　　b. cʀu̯4　[ka:4-rau̯2/kʀn2-hau̯1　　**ma:2**]?　[S-V]
　　　　FM　　　　誰　　　　　　来る
　　　「来たのは誰か。」

(23) a. [ka:4-raŋ1　**tok4**] ?　[S-V]
　　　　　何　　　落ちる
　　　「何が落ちたのか。」

　　b. cʀu̯4　[ka:4-raŋ1　**tok4**] ?　[S-V]

　　　　FM　　何　　落ちる

　　　「落ちたのは何か。」

(24) mɤj2 [ka:4-raŋ1] **tok4**.　[V1-S-V2]

　　　ある　　何　　落ちる

　　　「何かが落ちたのだ。」【見に行って、確認して！】

　　(25) a はやりもらい表現における主語(与えるヒト)を疑問詞として、情報を焦点化した文であり、(25) b はそれへの応答である。疑問文の焦点である主語「誰が」も、応答文の焦点である主語「私が」も共に文頭に置かれており、文末へ右方転移できない。

(25) a. [ka:4-raɯ2/kɤn2-haɯ1　**hɤɯ2**　　de:ŋ2　　θɤɯ1]?　[S-V-IO-DO]

　　　　　　　誰　　　　　　あげる　デーン　本

　　　「誰が本をデーンにあげたか。」

　　b. [ŋo:4　**hɤɯ2**　de:ŋ2　　θɤɯ1].　[S-V-IO-DO]

　　　　私　　あげる　デーン　本

　　　「私が本をデーンにあげた。」

　　(26) a は直接目的語が疑問の焦点である例である。 (26) a は適格文であるが、(26) b は「何」を右方転移して焦点化した文である。

(26) a. [ni:2　　**ʔaw2**　ka:4-raŋ1　　**hɤɯ2**　　de:ŋ2]?　[S-V1-IO-V2-DO]

　　　　あなた　取る　　何　　　与える　デーン

　　　「あなたはデーンに何をあげたのか。」

　　b. [ni:2　　**hɤɯ2/ʔaw2=hɤɯ2**　　de:ŋ2]　ka:4-raŋ1?　[S-V- DO]-IO

　　　　あなた　あげる/取って与える　デーン　　何

　　　「あなたはデーンにあげたのは何か。」

　　(27) a, a' は、項(直接目的語)を疑問詞として、情報を焦点化した文であり、(27) b, b' はそれらへの応答である。 (27) a は適格文であるが、「何」を右方転移した

(27) a' は「何」を焦点化する。また、 (27) a に対する応答 (27) b, b' は両方とも適格であるが、「何」を右方に移動して焦点化した (27) a' に対する答えとしては、応答の内容を明確化した (27) b' が適格である。

(27) a. [ni:4　　**cʰe:w5**　　ka:4-raŋ1　　　pʰjak4].
　　　　あなた　　炒める　　　何　　　　料理・野菜
　　　　「あなたは何料理を炒めているのか。」

　　a'. [ni:4　　**cʰe:w5**　　pʰjak4]　　ka:4-raŋ1.
　　　　あなた　　炒める　　　料理・野菜　　何
　　　　「あなたは何の料理を炒めているのか。」

　　b. [**cʰe:w5**　　pʰjak4-kʰe:w1].
　　　　炒める　　野菜(一般)
　　　　「野菜を炒めている。」

　　b'. [**cʰe:w5**　　pʰjak4-θʁm5].
　　　　炒める　　酸っぱい野菜
　　　　「酸っぱい野菜(漬物の野菜)を炒めている。」

4.2.3 Why, How 疑問文における焦点

　原因や理由を問う hat4-raŋ1/wʁj4-raŋ1「なぜ」に焦点がある時、「なぜ」は (28) a のように述語動詞の左側に置くのが普通である。また、 (28) b のように語頭に置く場合も適格文であるが、非難の意味合いが含まれる疑問となる。しかし、「なぜ」を右方転移して焦点化することはできない。「なぜ」を焦点化するには、 (28) c のように焦点標識 cʁɥ4 を「なぜ」の直前に置くことが必要である。

　(28) a. [te:1　　hat4-raŋ1　　　mʁj2　　　**ma:2**]?
　　　　　彼　　　なぜ　　　否定辞　　　来る
　　　　　「彼はなぜ来なかったのか。」

　　　b. hat4-raŋ1　　[te:1　　mʁj2　　　**ma:2**]?
　　　　　なぜ　　　彼　　否定辞　　　来る
　　　　　「なんで彼は来なかったのか。」

134

c. [te:1　cɤɯ4　<u>hat4-raŋ1</u>　mɤj2　**ma:2**]?

彼　　FM　　なぜ　　否定辞　　来る

「彼は来なかったのはなぜか。」

　　方法を問う hat4-rɤɯ5（どのように）に焦点がある時、(29) a のように述語動詞の左側に置くのが普通である。この場合、語頭に置くことや右方に転移することができない。(29)b のように焦点標識 cɤɯ4 を直前に置くことで焦点化することもできるが、このような形はあまり使わない。

(29) a. [te:1　<u>hat4-rɤɯ5</u>　**ma:2**]?

彼　　どのように　　来る

「彼はどうやって来たのか。」

b. [te:1　cɤɯ4　<u>hat4-rɤɯ5</u>　**ma:2**]?

彼　　FM　　どのように　　来る

「彼はどうやって来たのか。」

4.3 対比焦点

　　前述のように、WH 応答焦点は、WH 疑問文に対する応答であり、不特定の代替候補の中から適切なもののみを選び出す焦点タイプである。これに対して対比焦点は、文脈上限られた代替候補の中から、適切なもののみを選び出し、残りの候補を排除する働きを持っている。(30) では、彼が来たことが前提として共有されているが、B の文で焦点標示されている「一昨日」は、A が想定している「昨日」に対する代替候補を排除している。(31) では、「X を買う/買った」という前提部が共有されており、「買う/買った」が焦点化されているが、同時に「お酒を買う/買った」という命題が排除されている。

(30) A. te:1 cɤɯ4　<u>wan2-wa:2</u>　**ma:2**　mɤj2?

彼　　FM　　昨日　　来る　　疑問詞

「彼が来たのは昨日なのか。」

B. mɤj2　cɤɯ4　<u>wan2-wa:2</u>,　cɤɯ4　<u>wan2-θɤn2</u>　(**ma:2**).

否定辞　　FM　　　昨日　　　FM　　　一昨日　　来る

「昨日じゃなくて一昨日に来たのだ。」

(31) ke:n5　cɤɰ　**θɤɰ5**　kʰaw5],　mɤj2　cɤɰ4　**[θɤɰ5　law5]**.

　　　ケン　　FM　　　買う　　　米　　　否定辞　　FM　　　買う　　　酒

　　「ケンがお米を買う/買ったのであって、お酒を買う/買ったのではない。」

おわりに

　本稿では、龍茗方言の基本的な構文と考えられる S-V 構文、S-V-O 構文、やり
もらい構文、動詞連続構文など、情報構造に関わる統語的なバリエーションを取り
上げた。分析の結果、チワン語と同じタイ・カダイ語族に属するタイ語やラオ語で
も見られるように（峰岸 2019、鈴木 2020）、龍茗方言において文構成素の左方（文
頭）への移動は主題化という機能を持ち、右方（文末）への移動は焦点化という機
能を持つことが観察された。

　龍茗方言では、原則的に文頭の主語名詞句は同時に主題機能も持つが、時空
間の場面設定機能を持つ文頭の副詞句も主題となることができる。主題化は基本
的に文の構成素を左方（文頭）に移動して実現する。左方移動できるのは、目的
語、着点、文頭に位置しない主題・主語名詞句などの要素である。文頭に現れや
すい傾向が見られる主語や時を表す名詞（句）は文頭に現れていてもそれが移動
の結果であると言えないが、主題標識 ni:1 を用いることで、主語や時空表現の要
素を取り立てて表現することができる。

　一方、龍茗方言の焦点構造には大まかに WH 焦点、WH 応答焦点、対比焦点
の機能を持つが、文の全体、項、さらには述語に焦点を置くことができる。焦点化
は文の構成素を右方（文末）に移動して標示できるが、焦点標識 cɤɰ4 を用いた
焦点構造もある。具体的には、平叙文の場合は、原則的に焦点標識を用いた焦
点構造で焦点を標示するが、一つの節について一つの焦点標識のみが出現でき
る。疑問文の場合は、焦点標識を用いずに疑問詞（名詞句が主語の一項しかな
い場合を除く）を右方に移動して標示できるが、ひとまとまりの構成素の同一方向
（右方）への移動だけが許される。

　龍茗方言の焦点構造において、焦点標識が必ずしもすべての焦点標示に必
要なわけではなく、疑問文の種類によっては焦点標識を用いると、かえって不自

然になるものもある。このように、焦点標識を用いなくても焦点化できる操作があるにも関わらず、なぜわざわざ焦点標識を用いるのかについては、漢語の影響による可能性も考察する必要がある。また、本稿では検討を行わなかった情報構造上重要な省略、音声学的な特徴（イントネーションなど）、構成素の重複などの分析については、今後の課題としたい。

謝辞

　まず、本稿の執筆にあたり、東京外国語大学　アジア・アフリカ言語文化研究所の峰岸真琴先生に丁寧なご指導を頂いた。記して感謝の意を表する次第である。また、本研究は九州大学大学院人文科学研究院言語学・応用言語学講座の下地理則先生が2020年5月17日より主催されている「九大下地ゼミ　Grammar Writing 演習一般公開版」の受講を契機として発想を得たものであり、下地ゼミにおいて文法記述のノウハウを教えてくださった下地先生およびいつも活発的な議論を通じて刺激を与えてくれた受講生の皆様に謝意を表する。当然ながら、本研究におけるいかなる誤謬も筆者個人の責めに帰する。

参考文献

韋景芸・何霜・羅永現 (2011)『燕斎壮語参考語法』中国社会科学出版社.

韋茂繁 (2014)『下坳壮語参考語法』広西人民出版社.

岡野賢二 (2020)「ビルマ語の語順と情報構造」『東京外大東南アジア学』26, pp.24-42.

黄海萍 (2018a)「チワン語龍茗方言の音韻体系」『言語社会』12, pp.366-343.

黄海萍 (2018b)「チワン語龍茗方言研究」一橋大学大学院言語社会研究科、博士論文.

下地理則 (2018)『シリーズ記述文法 1 南琉球宮古語伊良部島方言』くろしお出版.

鈴木玲子 (2020)「ラオ語の語順と情報構造」『東京外大東南アジア学』26, pp.43-75.

峰岸真琴 (2019)「タイ語の情報構造に関わる諸表現」『慶應義塾大学言語文化

研究所紀要』50, pp.189 - 204.

峰岸真琴/スニサー・ウィッタヤーパンヤーノン　(2019)「タイ語の主題とその談話
　　での現れ方について」言語の類型論的特徴対照研究会（編）『言語の類型的
　　特徴対照研究会論集』2, pp.111-135.

林由華 (2017)「南琉球宮古語池間西原方言における du 焦点構文と述語焦点形」
　　『阪大社会言語学研究ノート』15, pp.87-99.

Lambrecht, Knud. 1994. *Information Structure and Sentence Form: Topic, Focus, and
　　the Mental Representations of Discourse Referents*. Cambridge: Cambridge
　　University Press.

サハ語とトゥバ語の対格標示と情報構造
Accusative marking and information structure
in Sakha and Tyvan

江畑　冬生（新潟大学）

Fuyuki EBATA (Niigata University)

要　　旨

　チュルク諸語では一般に文末に述語が置かれ，述語直前の位置に文における新情報である成文が現れる．言い換えれば，情報構造はこの点では語順に反映している．チュルク諸語では，直接目的語として主格名詞句と対格名詞句の両方が現れうる．格標示の選択には，名詞句の定性が部分的に関与している．従ってこの点では，情報構造が形態法に反映すると言える．ただし格標示に対する定性の関与の仕方は，言語ごとに異なっている．本稿ではチュルク諸語のうちサハ語とトゥバ語を取り上げて，対格標示と情報構造の関連について両言語間の違いにも着目しながら検討する．

キーワード：チュルク諸語，目的語，定性，語用論

1　はじめに

　野田 (2004: 194) は，対照言語学的な観点から，主題を表す手段を次の3つに大きく分類している．

　形態的手段：日本語の「は」のような主題を表すための形態
　文法的手段：主題を文頭のほうへおくという語順の変更
　音声的手段：主題の後の休止やイントネーション

　この考え方は，情報構造全般に適用可能である．すなわち，一般に情報構造を表すには形態的手段・文法の手段・音声的手段がある．

チュルク諸語では一般に文末に述語が置かれ，述語直前の位置に新情報が現れるとされる（つまり文法的手段である）[1]．Johanson (2021: 941) によれば，チュルク諸語では新情報 (focus) を示すのに音声的手段をあまり用いないという[2]．チュルク諸語一般に関する以上の指摘は，本稿で扱うサハ語・トゥバ語にも当てはまるものである[3]．

　チュルク諸語では，直接目的語として主格名詞句と対格名詞句の両方が現れうる（主格は格接辞を欠いている）．例えばトルコ語では，von Heusinger and Kornfilt (2005: 5) によれば，定性と特定性により概ね次のような使い分けがなされるという．

(1)　　　(Ben)　　kitab-ı　　　oku-du-m.　　　　　　　　[definite]

　　　　　I　　　book-ACC　　read-PST-1SG

　　　'I read the book.'

(2)　　　(Ben)　　bir　kitap　　oku-du-m.　　　　　　　　[non-specific indefinite]

　　　　　I　　　a　　book　　read-PST-1SG

　　　'I read a book.'

(3)　　　(Ben)　　bir　kitab-ı　　　oku-du-m.　　　　　　　[indefinite specific]

　　　　　I　　　a　　book-ACC　　read-PST-1SG

　　　'I read a certain book.'

---

[1] このうち新情報については，Johanson (1998: 59) による "The position immediately in front of the predicate core is used for focused constituents, offering new or relatively important information." という説明が代表的なものとして挙げられる．

[2] Johanson (2021: 941) "In languages such as English, focus may be marked prosodically, by suprasegmental features such as stress and intonation, without a change of the syntagmatic position. This device is less frequently used in Turkic."

[3] 本研究は，科研費（課題番号 17H04773, 18H03578, 18H00665, 20H01258, 21H04346）および東京外国語大学アジア・アフリカ言語文化研究所の共同利用・共同研究課題「「アルタイ型」言語に関する類型的研究(2)」「チュルク諸語における情報構造と知識管理 —音韻・形態統語・意味のインターフェイス—」の支援を受けたものである．本論文における出典が明記されない例文は，筆者によるフィールドワークまたは筆者の作成したコーパス資料からの例である．

つまり対格標示の有無は，情報構造と（部分的に）関連している．これは情報構造が形態的手段により表されるケースだとも言えよう．ただし江畑 (2014) で示したように，同系言語の間でも対格標示の要因は異なっている[4].

以上を踏まえて本稿では，サハ語とトゥバ語における直接目的語への対格標示の要因を，情報構造との関わりから検討する．本論に入る前に，次節では関連する類型論的な研究について触れておく.

2　背景となる類型論的研究

ある名詞項に対して，2 通り（以上）の標示が可能な言語がある．特に目的語に対して複数の標示が可能な言語は，比較的に多い．Bossong (1985) やAissen (2003) などの研究では，これを DOM (differential object marking) と呼んでいる．本稿で取り上げるサハ語とトゥバ語も，DOM 言語である.

DOM 言語の記述では，定性 (definiteness) や特定性 (specificity) のような情報構造と関わる単一の要因により名詞項標示が決まるのだと主張されることがしばしばある．しかし江畑 (2020) の第 9 章でも示したように，サハ語の対格標示には複数の要因が関与している.

Malchukov and de Swart (2009: 348) では，ある名詞項の標示が当該名詞項の特性のみにより決まる場合を local な要因と呼び，対してある名詞項の標示が節内の別の名詞項との関係性によって決まる場合を global な要因と呼んでいる（Comrie (1989) の第 6 章にも類似の考え方がある）．江畑 (2014) はトゥバ語の対格標示に global な要因も関わる可能性があることを指摘したが，詳細な条件の検討までには至らなかった.

風間 (2012) では，池上 (1992) の先駆性を高く評価した上で，ユーラシアのいくつかの言語の事例にも触れつつ「統語表示に対する情報構造の関わりの重要性」を説いている[5]．すなわち，格のような統語法に関わる標示と情報

---

[4] Johanson (1998: 53) は，チュルク諸語全般について目的語の主格／対格の選択には "certain rules of topicality/specificity" が関わると説明している.
[5] 関連して風間 (2019) では，他動詞節における基本語順と情報構造が内的に関連するという仮説を提示している.

141

構造の問題を切り離して考えるのは不十分だという指摘である（当然のことながら，両者の混同を戒めてもいる）．第 3 節・第 4 節で詳しく見るように，サハ語・トゥバ語の対格標示に関しても，形態統語法あるいは情報構造のいずれか片方のみから説明することは得策ではない．

3　サハ語の対格標示と情報構造

　本節では，サハ語の対格標示の条件について，まずは江畑 (2014) および江畑 (2020) の第 9 章の議論に基づき記述する．次に Ubrjatova (1950) を始めとするロシアにおける先行研究による説明の内容を，情報構造の観点も含めて検討する．

　サハ語では，第 1 節で見たトルコ語と同様，直接目的語として主格名詞句と対格名詞句の両方が現れうる（主格は格接辞を欠いている．これらに加えて分格名詞句も直接目的語として現れるが，本稿では扱わない）．

　結論から言えば，対格標示を決定づける要因として最も強く働くのは形態的要因と名詞句タイプであり，部分的に情報構造も関与している．

(A) 形態法

　複数接辞・所有接辞のいずれかが付加した名詞は，主格では直接目的語として現れることはできない（Ubrjatova (1950: 118-120) にも同様の指摘がある）．この条件では，定性や特定性その他の特徴に関わらず，必ず対格接辞が付加されることになる．

　例文(4)の目的語には複数接辞が含まれるため，対格接辞が無ければ非文となる．例文(5)のような所有接辞を含む目的語にも，必ず対格接辞が付加される（ここで *oʁuruot ah-a*「野菜」はいわゆる所有複合語を形成している）．

(4)　　*kün*　　*aajï*　　**kinige-ler**　　*aaʁ-a-bïn*
　　　* 日　　　毎　　　本-PL　　　読む-PRS-1SG
　　（私は毎日本を読みます）

(5) **oʁuruot ah-ï-n** *atïïl-ïïr*

畑 食べ物 売る-PRS:3SG

「彼(女)は野菜を売っている」

(B) 名詞句タイプ

　固有名詞・人称代名詞・指示代名詞・疑問代名詞は，主格では直接目的語として現れることはできない（Ubrjatova (1950: 118-120) にも同様の指摘がある）．この条件でもやはり，定性や特定性その他の特徴に関わらず，必ず対格接辞が付加されることになる．

　例えば，例文(6)の直接目的語は不定かつ不特定の「何か」であるが，対格接辞を付加しなければ非文となる．例文(7)の人名 *aančik*「アーンチュク」は談話上で初出であり新情報ではあるが，固有名詞であるために対格標示が必須となる．

(6) **tug-u =eme** *astaa-tï-ŋ =duu* *suox =duu*

何-ACC=CLT 料理する-N.PST-2SG=CLT ない=CLT

「君は何か料理を作ったのか，作っていないのか？」

(7) *ujbaan aʁam bïraata. kini bïraas, žokuuskajga oloror, balïïhaʁa üleliïr.*

kergenneex, biïr oʁoloox. saŋaspït aata sargï. sargï emie bïraas, ol ereeri

*biligin üleleebet, **aančïg-ï** körör. aančik, kiniler küüstara, kïra, ikki saastaax.*

「ウイバーンは父の弟だ．彼は医者で，ヤクーツクに住み，病院で働いている．妻がいて，子供が 1 人いる．叔母さんの名前はサルグだ．サルグも医者であるが，今は働かず，アーンチュク（の面倒）を見ている．アーンチュクは彼らの娘で，2 歳だ」 [Popova・江畑 (2006: 47)]

(C) 情報構造

　対格標示の条件には，先述の形態的要因および名詞句タイプによる制約をクリアした場合に限り，情報構造も関わってくる．まず総称名詞は，対格で標示される．

(8)　　**arïgï-nï**　　*is-pep-pin*

　　　　酒-ACC　　　飲む-NEG:PRS-1SG

　　「私は酒を飲まない」

　　定性と特定性に関しては，直接目的語が定ならば対格が，不定かつ特定的ならば主格が，不定かつ不特定ならば対格が用いられる[6].

　　［目的語が定 → 対格標示］

(9)　　*bu*　　　　　　**suumuka-nï**　　　　*atïïlah-a-bïn*

　　　　この　　　　　カバン-ACC　　　　　買う-PRS-1SG

　　「私はこのカバンを買います」

(10)　　*etii-te*　　　　　*oŋor*　　　　　**etii-ni**　　　　*aax*

　　　　文-PART　　　　作る:IMP.2SG　　　文-ACC　　　　読む:IMP.2SG

　　「(任意の) 文を作りなさい．その文を読みなさい」

　　［目的語が不定かつ特定 → 主格（格接辞なし）］

(11)　　*bïjïl*　　*xas*　　*xos*　　*aajï*　　**televizor**　　*turuor-du-but*

　　　　今年　　いくつ　部屋　ごと　テレビ　　立てる-N.PST-1PL

　　「私たちは今年，部屋ごとにテレビを置いた」[7]

(12)　　*ikki*　　*bïtïïlka*　　**piibe**　　*atïïlah-an*　　*bar-an*

　　　　2　　瓶　　　　ビール　　買う-CVB　　AUX-CVB

　　「2瓶のビールを買ってから....」

---

[6] Aissen (2003) の示す Def > Indef & Spec > Non-spec のような階層からは，この分布を説明できない．サハ語では，階層の両端に対格が現れることになるためである．

[7] サハ語で「～ごとに」を表す際には，*xas*「いくつ」と *aajï*「～ごと」の両方を同時に用いることがある．

［目的語が不定かつ不特定 → 対格標示］

(13)　*ulaxan*　*kilaas-tar-ga*　*sil-ga*　*bies uon*　**kinige-ni**　*aaɣ-ar*
　　　大きい　クラス-PL-DAT　年-DAT　50　　本-ACC　読む-PRS:3SG
　　　「高学年では，1年につき50冊の本を読む」

(14)　*tüört*　**kinige-ni**　*atïïlas-pït*　*kihi*　*behis*　**kinige-ni**
　　　4　　　本-ACC　　買う-VN.PST　人　　5番目の　　本-ACC

　　　belex　　*bihiïïïnan*　　*tut-ar*
　　　贈物　　　として　　　もらう-PRS:3SG
　　　「本を4冊買った人は，5冊目の本をプレゼントとしてもらえる」

　情報構造に関連して，指示詞を含む名詞句であっても，対格標示がされる
場合とされない場合がある．先の(9)のように定名詞句であれば，対格標示
を受ける．ところが同じく指示詞を含んでいても，次の(15)のように聞き手
が指示対象を認識していない場合（つまり新情報の不定名詞句）は，主格で
現れる．

(15)　*ehiexe*　*ehe-bit*　　　*bu*　**kehii**　*iïp-pït-a*
　　　2PL:DAT　祖父-POSS.1PL　この　土産　送る-PST-3SG
　　　「君たちのためにお爺さんがこのお土産を送ったんだよ」

　本節ではここまで，筆者のこれまでの研究に基づき，サハ語の対格標示の
条件を検討した．対格標示にはまず形態法と名詞句タイプが条件として強く
関わり，それらをクリアした環境でのみ部分的に情報構造も関与するのだと
まとめることができる[8]．

---

[8] Skribnik (2001) のように，対格標示の条件に関して情報構造のみからの説明を行うも
のもある（対格目的語は "topical objects" であり主格目的語は "rhematic unfocussed objects"
だと述べる）．このような単一の指標に基づく説明はエレガントに見えるが，言語事
実とは合致しない．Stachowski and Menz (1998: 430) も "An indefinite direct object is unmarked,
whereas a definite or specific object is accusative-marked" のように定性または特定性の違いを
指摘するが，やはりそれだけでは過不足のない記述とは言えない．

ロシアにおけるサハ語統語論研究でも，直接目的語の使い分けについての記述が見られる．そのうち Ubrjatova (1950: 118-120) および Čeremisina 他 (1995: 23-27) では，「主格目的語は動詞の直前でのみ用いられる」との指摘がある．この指摘自体は，次の例が示すように例外も存在するため適切ではない．

(16)　***xahïat***　　***kinige***　　*böɣö*　　　*aaɣ-a-ɣïn =dii*
　　　新聞　　　本　　　すごく　　　読む-PRS-2SG=ね
　　「君は新聞や本をすごくたくさん読むんだね！」

　　ただし直接目的語の格標示と語順には，ある程度の関連も見られることは確かである．対格目的語は，次の例が示すように文頭かつ動詞述語とは離れた位置にも比較的自由に生起することができる．

(17)　*ol*　　***kihi-ni***　　*min*　　*üle-m*　　　　*tïixarï*　　*ubaastïï-bïn*
　　　あの　　人-ACC　　1SG　　生涯-POSS.1SG　　限り　　尊敬する:PRS-1SG
　　「あの人を，私は生涯の限り尊敬する」

　　一方で主格目的語は，(11)や(12)でも見たように少なくとも新情報の不定名詞句である必要がある．第 1 節で確認したように，サハ語を含むチュルク諸語において新情報は述語直前の位置に現れる．従って主格目的語も，述語直前の位置を占めることになる．(16)のような例外はあるが，それでも主格目的語と述語動詞の間にはせいぜい副詞 1 語が入るような例のみが見つかる．(17)のように複数の名詞句や後置詞句が介入しうるのは，対格目的語の場合のみである．

4　トゥバ語の対格標示と情報構造

　　本節では，トゥバ語の対格標示の条件について，サハ語との違いにも着目しながら記述する．

　　トゥバ語でも，同系のトルコ語やサハ語と同様，直接目的語として主格名詞句と対格名詞句の両方が現れうる（主格はやはり格接辞を欠いている）．

146

(A) 形態法

　サハ語の場合とは異なり，複数接辞または所有接辞が付加した名詞も主格で直接目的語として現れることがある．例文(18)では，対格接辞を欠く直接目的語が現れている．

(18)　*öör-ü*　　　**nom-nar**　　*belek-ke*　　*ber-gen*
　　　友人-POSS.3　　本-PL　　　贈り物-DAT　　与える-PST:3
　　　「友人は本を贈り物として与えた」

　所有接辞が付加した名詞も，2 つの場合に対格接辞なしで目的語になれる．1 つ目は，いわゆる所有複合語の場合である．3 人称所有接辞には，2 つの名詞から成る一種の複合語を形成する働きがある．この場合の 3 人称所有接辞を含む名詞句は，対格接辞を必ずしも必要とはしない．

(19)　*tïva-lar*　　**öške**　**e'd-i**　　　*či-ir*
　　　トゥバ-PL　　羊　　肉-POSS.3　　食べる-AOR
　　　「トゥバ人は羊肉を食べる」

　2 つ目は，直接目的語が 1・2 人称主語の所有物となる場合である．この場合にも，目的語には対格接辞が無くても良い．

(20)　*men*　　**xol-um**　　*ču-p*　　　*al-dï-m*
　　　1SG　　手-POSS.1SG　　洗う-CVB　　AUX-N.PST-1SG
　　　「私は自分の手を洗った」

(B) 名詞句タイプ

　サハ語の場合と同様トゥバ語でも，固有名詞・人称代名詞・指示代名詞・疑問代名詞は，主格では直接目的語として現れることはできないようである（少なくとも現時点において筆者はそのような例を見つけていない）．

(21)　**men-i**　　ïnaar　　čedir-ip　　　　kör-üŋer

　　　1SG-ACC　　向こう　連れていく-CVB　　AUX-IMP.2PL

　「私を向こうに連れて行って下さい」

(22)　azïl-ïŋar　　　**küm =bir kiži-ni**　　čemelee-r　　apar-zïŋar-za

　　　仕事-POSS.2PL　　誰 =CLT　人-ACC　　責める-AOR　AUX-2PL-COND

　「仕事で誰かを責めることになるならば」

　なおトゥバ語では, *kim bir*「誰か」や *čüü bir*「何か」のような「不定代名詞」は, 実際には必ず連体修飾句として現れる (それ自体が名詞句としては用いられない). 従ってサハ語の(6)のような, 不定・不特定の代名詞句そのものの対格標示の振る舞いを調べることはできない.

<u>(C) 情報構造</u>

　トゥバ語の対格標示の条件として, 情報構造との関わりを指摘する研究もある. 例えば Anderson and Harrison (1999: 17) は, 対格接辞の一義的な機能は直接目的語の定性または特定性を表示すること ("its primary function is to mark definiteness or specificity on direct objects") にあるという. Landmann (2017: 17) も, 対格は定の目的語にのみ用いられる ("wenn ein bestimmtes Objekt bezeichnet werden soll") という. Isxakov and Pal'mbax (1961: 132) も同様の立場である.

　しかしこれまでの例文が示すように, 対格標示は情報構造のみからは決まらない. (20)のように定の目的語も主格で現れうるし, (22)のように不定・不特定の目的語に対格標示がなされることもある (なお(20)は第 2 節で見た global な要因が関わる例でもある. 対格標示の有無に主語と目的語の関係性も関与するからである).

(23)　galina　　**xol-um-nu**　　tut-tu

　　　PSN　　手-POSS.1SG-ACC　つかむ-N.PST

　「ガリーナは私の手をつかんだ」

Isxakov and Pal'mbax (1961: 132) は，興味深いことに，主格目的語はそれを支配する動詞の近くに置かれそれらの間に入るのはせいぜい1つの語である，と述べている．これはサハ語の場合と並行的である．たしかに主格目的語は定であっても良いが，(20)のように直接目的語が1・2人称主語の所有物となる場合に限られており極めて例外的である．大半の主格目的語は新情報の不定名詞句である必要があるので，述語直前の位置を占めるケースが多くなるのも当然の帰結である．

5　まとめ

　本節では，チュルク諸語のうちサハ語とトゥバ語を取り上げ，対格標示と情報構造の関連について両言語間の違いにも着目しながら検討を行った．

　サハ語の対格標示には，まず形態法と名詞句タイプが必須条件として強く関わり，それらをクリアした環境でのみ部分的に情報構造も関与する．定ならば対格が，不定かつ特定的ならば主格が，不定かつ不特定ならば対格が用いられる．一方でトゥバ語の対格標示には，名詞句タイプは大きく関与するが，形態法自体は条件として働かない．対格標示が情報構造だけで決まるとも言えないが，ただし定の主格目的語が現れるのは1・2人称主語の所有物に限られており極めて例外的である（global な要因も働くケース）．

　両言語において，例外は見られるものの，主格目的語は述語直前の位置に現れる傾向にある．これはサハ語・トゥバ語を含むチュルク諸語において，述語直前の位置に新情報が置かれるという特性を反映するものである．

略号

ACC 対格，AOR アオリスト，AUX 補助動詞，CLT 接語，COND 条件，CVB 副動詞，DAT 与格，IMP 命令法，NEG 否定，N.PST 近過去，PART 分格，PL 複数，POSS 所有，PRS 現在，PSN 人名，PST 過去，SG 単数，VN 形動詞

参考文献

Aissen, Judith. (2003) Differential object marking: Iconicity vs economy. *Natural Language and Linguistic Theory*. vol.21, 435-483.

Anderson, Gregory D. and K. David Harrison. (1999) *Tyvan*. München: Lincom Europa.

Bossong, Georg. (1985) *Empirische Universalienforschung. Differentielle Objekt-markierung in den neuiranischen Sprachen*. Tübingen: Gunter Narr.

Čeremisina, M.I., *et al*. (eds.) (1995) *Grammatika sovremennogo jakutskogo literaturnogo jazyka. Sintaksis.* Moskva: Nauka.

Comrie, Bernard. (1989) *Language universals and linguistic typology: Syntax and morphology*. [2nd edition] Oxford: Blackwell.

von Heusinger, Klaus and Jaklin Kornfilt. (2005) The case of the direct object in Turkish: Semantics, syntax and morphology. *Turkic languages*. vol.9, 3-44.

Isxakov, F.G. and A.A. Pal'mbax. (1961) *Grammatika tuvinskogo jazyka. Fonetika i morfologija*. Moskva: Vostočnoj Literatury.

Johanson, Lars. (1998) The structure of Turkic. Lars Johanson and Éva Ágnes Csató. (eds.) *The Turkic languages*. 30-66. London: Routledge.

Johanson, Lars. (2021) *Turkic*. Cambridge: Cambridge University Press.

Landmann, Angelika. (2017) *Tyvanisch Kurzgrammatik*. Wiesbaden: Harrassowitz.

Malchukov, Andrej and Peter de Swart. (2009) Differential case marking and actancy variations. Andrej Malchukov and Andrew Spencer (eds.) *The Oxford Handbook of Case*. Oxford: Oxford University Press. 339-355.

Popova Nadezhda・江畑　冬生 (2006) 『サハ語文法 —テキストと練習問題— ［改訂版］』東京外国語大学アジア・アフリカ言語文化研究所.

Rassadin, V.I. (1978) *Morfologija tofalarskogo jazyka v sravnitel'nom osveščenii*. Moskva: Nauka.

Skribnik, Elena. (2001) Variation of noun phrase markers in Siberian languages. W. Boeder and G. Hentschel (eds.) *Variierende Markierung von Nominalgruppen in Sprachen unterschiedlichen Typs*. 345-364. Oldenburg: Universität Oldenburg.

Stachowski, Marek and Astrid Menz. (1998) Yakut. Lars Johanson and Éva Ágnes Csató. (eds.) *The Turkic languages*. 417-433. London: Routledge.

Ubrjatova, E.I. (1950) *Issledovanija po sintaksisu jakutskogo jazyka. I Prostoe predloženie.* Moskva/Leningrad: Nauka.

江畑 冬生 (2014) 「サハ語・トルコ語・トゥバ語の目的語格標示」『北方言語研究』第 4 号, 33-42.

江畑 冬生 (2020) 『サハ語文法: 統語的派生と言語類型論的特性』 勉誠出版.

池上 二良 (1992) 「北アジア言語の動詞の構造と格支配: 動作対象の表示に関して」『北の言語 類型と歴史』三省堂. 297-314.

風間 伸次郎 (2012) 「ツングース諸語その他に関する池上二良先生の功績」『北方人文研究』第 5 号, 193-204.

風間 伸次郎 (2019) 「語順と情報構造の類型論」 竹内 史郎・下地 理則（編）『日本語の格標示と分裂自動詞性』くろしお出版. 141-175.

野田 尚史 (2004) 「主題の対照に必要な視点」 益岡 隆志（編）『シリーズ言語対照 5 主題の対照』くろしお出版. 193-213.

研究発表応募規定

I 発表資格、発表内容、発表形態

1． 発表者は応募および発表の時点で会員でなければなりません。（研究発表の申し込みと同時に本研究会への入会も申し込めます。）非会員も共同研究者としてプログラムに名前を載せることができますが、実際に発表を行うのは会員に限ります。

2． 発表内容は未発表の研究に限ります。発表テーマは「屈折・膠着・複統合・孤立」といった語形態に基づく言語類型から SOV の基本語順、さらに「主題」「受動構文」「使役構文」「名詞修飾節」など「構文」に関する、形態統語的観点や意味・語用論的観点、機能的観点からの研究で、広く諸言語の類型論的研究への貢献を目的とする研究とします。

3． 発表形態は口頭発表とし、使用言語は原則日本語とします。（持ち時間35 分。うち発表 20 分、質疑応答 15 分）

II 応募要領および採否

4． 発表希望者は、次の①と②の書類（MSWord および PDF）を e-mail の添付ファイルで下記の大会委員長宛に送ってください。（応募後、締切りまでに受け取り確認の連絡がない場合は、再度大会委員長に連絡してください。）
① 「発表要旨」 Ａ４用紙２枚以内（日本語の場合 800 字程度。英語の場合は 500 word 程度。主要な参考文献（字数外）を含めてください。ただし個人が特定できる情報は記入しないこと。）
② 「個人情報」 Ａ４用紙１枚（氏名、ヨミガナ、所属・身分、発表タイトル、電話番号、e-mail アドレス、使用機器の希望。）

5. 発表要旨には、必ず結果・結論を盛り込んで下さい。「このような調査を行う予定である」というようなものは要旨とは呼べません。結論が出た研究のみ、応募することができます。また、個人の特定につながる情報（「拙著」など）は避けて下さい。

6. 本文で言及した論文および発表に重要な関連を持つ先行研究などがある場合は発表要旨にその文献を挙げてください。上記に該当する文献がない場合は，要旨の最後に「引用文献なし」と明記してください。

文献を挙げる際には以下の情報を入れてください。
著者名，出版年，論文名，雑誌名／書名，号数，出版社名　　（例）教育花子
　　（2009）「英語のオノマトペ」『世界のオノマトペ』○×出版

※ 応募者自身の論文であっても，発表の内容に関係する場合には引用してください。その際，次のような言及の仕方をすることによって，執筆者が特定されないようにしてください。
　（例）○田中（2010）で｛述べられている／指摘されている｝ように，…
　　　　×田中（2010）で｛述べた／指摘した｝ように，…
　（「＜論文名＞で～したように，」という表現は（執筆者が特定できるので）使わないでください。）
※ 応募時において公刊されている文献のみを挙げてください（応募時において「印刷中」「投稿中」などの文献は挙げないでください）。

7. 採否は応募者名を伏せて大会委員会で審議し、その結果を大会委員長から応募者に e-mail で通知します。不採用の理由については照会に応じません。

8. 採否通知の際に、大会委員会の判断で発表題目や内容について助言することもあります。

III　採用後から発表まで

9．　採用後に各研究会の担当委員をお知らせしますので、担当委員と連絡を
　　取り合いながら発表の準備を進めてください。

10．　本研究会では予稿集は作りませんので、各自レジュメを用意してきてく
　　ださい。50部ほど必要です。

会誌投稿規定

I　投稿資格、投稿論文の内容と形態

1．　投稿者は、投稿する時点で会員でなければならない。（投稿と同時に
本研究会への入会を申し込むこともできる。）

2．　投稿論文の内容は、「屈折・膠着・複統合・孤立」などの形態法、SOV
などの基本語順、「主題」「受動構文」「使役構文」「名詞修飾節」などの構
文を含めた、諸言語の類型論的研究への貢献を目的とする研究で、未発表
原稿に限る。また編集委員が特集を企画し特集論文を募集することがある。

3．　投稿論文の使用言語は日本語または英語とする。論文の分量について
は、図表を含め 34 字×30 行で 20 ページ程度を目安とする。

II　投稿の時期、方法及び宛先

4．　投稿は、1 年中受けつける。ただし、次号に掲載されるための締切は
8 月末日とする。

5．　投稿の方法は、e-mail 送信とし、e-mail の本文において、必ず会員で
あることを書き添える。また、投稿論文の規格は、以下のとおりである。

- ・用紙サイズ：A 5
- ・余白：上：16mm、下：13mm、右：17mm、左：17mm
- ・本文：34 字×30 行、明朝 10p
- ・タイトル：ゴシック 12p（英訳も必要）
- ・氏名：ゴシック 11p（名字と名前の間に 1 文字分の空白を入れる）
- ・「要旨」「キーワード」の文字：ゴシック 10.5p
- ・要旨、キーワードの本文：明朝 9p
- ・節の番号：0、1、2…（半角ゴシック 10.5p）
- ・節の下位番号：1.1、1.1.1…（半角ゴシック 10p）
- ・「参考文献」「引用文献」の文字：ゴシック 10.5p

・参考文献、引用文献の本文：明朝 10p

・注は脚注とし、明朝 9p とする

6．　投稿の宛先は、次のとおりである。また、件名の最初に「投稿原稿」
　をつけること。

　　　ebata@human.niigata-u.ac.jp　（江畑冬生のメールアドレス）

III　投稿論文の審査

7．　投稿論文の採否は、編集委員の権限とする。

8．　審査結果は投稿論文を受理してから、3 か月以内に通知する。

「言語の類型的特徴対照研究会」顧問・理事名簿（50 音順）

顧問：

角道　正佳

鈴木　泰

仁田　義雄

益岡　隆志

理事：

江畑冬生（会誌編集委員会委員長）

金善美

栗林裕

清水政明（大会運営委員会委員）

ジャヘドザデ

千田俊太郎

張麟声（代表理事）

林範彦（会誌編集委員会委員）

堀江薫（学術連携委員会委員長兼大会運営委員会委員）

峰岸真琴（副代表理事兼大会運営委員会委員長）

宮岸哲也

編集後記

　『言語の類型的特徴対照研究会論集』第 4 号をお届けいたします．本号には，情報構造に関わる特集論文が 8 編収録されています．まず，東南アジア諸言語の情報構造の類型を広く扱う峰岸論文から始まり，その後にはおよその地理的分布に従いラオ語・クメール語・インドネシア語・ビルマ語・チノ語・チワン語と続き，最後にシベリアという配列になっています．残念ながら，投稿論文はありませんでした．本論集の刊行は，以下のスケジュールにより行われました．

2021 年 6 月 30 日	エントリー
2021 年 8 月 15 日	投稿論文（査読有）締切
2021 年 8 月 31 日	特集論文締切
2021 年 12 月 12 日	刊行

　次号以降に関しても，同様のスケジュールにより原稿募集をしていく予定です．会員のみなさまの積極的な投稿をお待ちしております．

2021 年 12 月 12 日
会誌編集委員会委員長　　江畑　冬生
会誌編集委員会委員　　　　林　範彦

言語の類型的特徴対照研究会論集
第 4 号

2021 年 12 月 25 日　初版第 1 刷発行

編著者　　言語の類型的特徴対照研究会
発行者　　関　谷　一　雄
発行所　　日中言語文化出版社
　　　　　〒531-0074 大阪市北区本庄東 2 丁目 13 番 21 号
　　　　　ＴＥＬ　０６（６４８５）２４０６
　　　　　ＦＡＸ　０６（６３７１）２３０３
印刷所　　有限会社 扶桑印刷社